Numerología del Feng Shui

para vivir mejor

Numerología del Feng Shui
para vivir mejor

Claudia E. Roldán

Grijalbo

Título: *Numerología del Feng Shui para vivir mejor*
Primera edición: octubre, 2017

© Claudia E. Roldán
© 2017, Penguin Random House Grupo Editorial S.A.S.
Carrera 5A No. 34A-09, Bogotá, Colombia
PBX (5 71) 7430700
www.megustaleer.com.co
Diseño y diagramación: Paula Andrea Gutiérrez Roldán
© Imágenes tomadas de www.istockphoto.com

Impreso en Colombia-*Printed in Colombia*

ISBN: 978-958-9007-85-3

Compuesto en caracteres Bembo y Candara
Impreso en Nomos Impresores, S. A.

Penguin
Random House
Grupo Editorial

A mi hija Catalina: el motor de mi vida,
la que me alimenta el alma y le da ilusión a mi corazón.
Gracias a Dios por la hija tan especial que me regaló,
colmada de dones y de bendiciones. Gracias, mi Cata, por
siempre estar a mi lado.

CONTENIDO

PRÓLOGO

El Universo, a través de la Gracia Divina, nos presenta los medios propicios para alcanzar las metas de bienestar que todos merecemos. Infortunadamente, son muchas las veces que no tomamos esos mensajes en cuenta por falta de atención, o por ignorancia y precipitación, como en mi caso, y nos complicamos la vida sin siquiera darnos cuenta. Pero, como el Universo también nos brinda segundas oportunidades que debemos aprovechar, quiero hacerlos partícipes de mi experiencia personal.

Tras algunos años de viudez, pero acompañada por la inmejorable presencia de mis dos pequeños hijos, me volví una ávida lectora en mis noches de soledad. En esa época llegó a mis manos un libro sobre el manejo de las energías que nos circundan y sobre lo benéfico que es aprovecharlas para nuestro bien y el de las personas que nos rodean. El libro, que trataba sobre la ancestral filosofía china del Feng Shui, me dejó intrigada y deseosa de conocer más sobre el tema, que a pesar de ser tan interesante era poco difundido en mi entorno en esa época.

Como el Universo envía mensajes indiscriminadamente, en una visita a la peluquería me topé con un persuasivo personaje que ofrecía asesoría sobre Feng Shui y, ¡saz!, su locuacidad me atrajo de inmediato y lo contraté. Llegó a mi apartamento una arrogante señora y puso sobre la mesa un gran bolso donde cargaba todos los elementos necesarios para, según ella, convertir mi hogar en el sitio ideal. Empezó a recorrerlo con dos varillas en sus manos indicando que cada sitio estaba tremendamente afectado por las energías negativas que tanto su intuición como sus varillas detectaban, a la vez que iba poniendo por doquier diferentes objetos típicos del Feng Shui como ba-guas, trigramas, móviles y estatuillas, hasta que terminó pegando espejitos octogonales en la contratapa del inodoro del baño de visitas "para que la suerte no se escape por la cañería".

Al acabar su locuaz monólogo mi casa parecía un bazar chino, mi bolsillo quedó bastante afectado y yo estaba un tanto preocupada, pues me preguntaba: ¿Habré hecho bien o mal al contratar a esta señora? Por lógica, a mis hijos les pareció extraño el despliegue de tanta "cosita", quienes me visitaban preguntaban con curiosidad por mi nueva decoración y los adolescentes amigos de mis hijos hacían bromas abiertamente acerca de los espejitos que aparecían tan pronto levantaban la tapa del inodoro. Empecé a sentirme incómoda, aburrida y hasta extrañada, pero en mi ignorancia esperaba que, tal como había dicho la asesora, las energías se reacomodaran. Pasaba el tiempo, mi descontento aumentaba y para colmo de males no lograba localizar de nuevo a la experta en Feng Shui porque supuestamente se había mudado a Ecuador.

Transcurridos casi dos meses, un entrañable amigo de la familia, preocupado por mi notable estrés, me recomendó usar esencias florales y me indicó dónde conseguirlas. En este momento corroboré que el Universo pone a nuestro alcance los medios que necesitamos en el momento preciso. Al entrar a la tienda Kirtana a comprar las esencias recomendadas, mientras esperaba a ser atendida leí con avidez una tarjeta de presentación que decía: Claudia E. Roldán - Asesora de Feng Shui. Inmediatamente y con actitud muy crítica, me dediqué a hacer una inspección visual del sitio y noté con asombro que no solo era un ambiente acogedor y discretamente decorado, sino que escasamente veía allí dos símbolos medio parecidos a todos los objetos que inundaban mi casa.

Al momento de cancelar las esencias cautelosamente pregunté quién era la asesora de la tarjeta, a lo que el señor contestó: "Es mi esposa, en este momento está trabajando, por eso no se la presento". Aproveché su respuesta para, con simulada inocencia, indagar en qué consistía una asesoría de ese tipo, qué beneficios aportaba, cómo, dónde y cuándo había adquirido su esposa los conocimientos y experiencia para poder ofrecer ese servicio. Con ello pude constatar que, tras sus productivos años de estudio en Costa Rica con su maestro y mentor, y por su incansable deseo de investigar y aprender por medio de congresos, seminarios y conferencias dictados dentro y fuera del país por reconocidos expertos en el milenario arte del correcto manejo de las energías, el Universo estaba poniendo a mi disposición a Claudia Roldán. De inmediato programé su asesoría, cuidando que mis hijos no estuviesen presentes puesto que, por ser escépticos y estar tácitamente descontentos con la "nueva decoración", pensaban que tal vez yo me estaba involucrando con algo anormal para nuestras creencias y formación religiosa y espiritual.

Una semana después recibí la visita de Claudia. ¡No podía creerlo! Una joven dama elegante pero muy sobria y sencilla, seria pero jovial y agradable, respetuosamente me explicó que tenía que recorrer el apartamento antes de tomar los puntos cardinales y empezar la asesoría. Me pidió lápiz y papel suficiente para que yo tomara nota y me recomendó prestar mucha atención, dándome confianza y libertad para preguntar y aclarar las dudas que se me presentaran en el transcurso de la asesoría. Lo único que extrajo de su bolso fue una espectacular brújula, con la cual trazó y me explicó todas y cada una de las áreas del apartamento, y con una memoria prodigiosa me fue mostrando la mala ubicación, significado e inconveniencia de los objetos que, con ojo de águila, descubrió durante todo el recorrido.

Al terminar me dijo: "La felicito, sus hijos tienen un ángel guardián que los ha protegido del caos energético que hay en este apartamento, pero usted sí está recibiendo de frente todos los efectos nocivos en lo personal, económico y laboral. De seguro todos tres han llegado a sentirse en algún momento inconformes, pero le pido el favor de no entrar en pánico, porque el objetivo de mis asesorías no es confundir o aterrorizar, es simplemente ayudar. Por eso le repito: pregunte para poder despejar de inmediato cualquier duda". Con sencillez y claridad me explicó la ubicación de cada una de las áreas y cómo, cuándo y por qué activarlas, protegerlas o curarlas. Me recomendó no utilizar simbología si no tenía el debido conocimiento de su significado, ubicación y beneficio, por lo que me pidió que desmontara el bazar en el que había convertido mi hogar, explicándome paso a paso su inconveniencia. Quedé estupefacta: ni siquiera recordaba que detrás de mi cama había un trigrama que Claudia no entendía por qué estaba allí, pues según ella impedía mi verdadero descanso. Además nos reímos abiertamente de los famosos espejitos de las tapas de los inodoros que supuestamente protegían mis finanzas.

Me enseñó cómo con una adecuada localización la mayoría de mis propios objetos decorativos servían para activar o curar determinada área, por qué debía cambiar de sitio u orientación algunas cosas y, lo más importante, me dijo que solo mis hijos y yo debíamos intervenir en los cambios para lograr que al momento de fijar la intención estuviesen impregnados de nuestra energía. Su serenidad y conocimientos me produjeron gran tranquilidad y empatía, más aún cuando los benéficos efectos de esta asesoría se empezaron a notar.

Tardé dos semanas en contarles a mis hijos que había conocido y llevado a casa a una verdadera experta en Feng Shui, y haciendo gala de mis apuntes les expliqué la razón de los cambios. Poco a poco se fueron involucrando con el tema al punto que ambos han introducido el Feng Shui en sus estudios, sus hogares, sus vidas y su profesión. Han transcurrido veinte años desde la primera asesoría y la visita de Claudia a nuestros hogares es como un ritual que se agenda con un año de anticipación. Fue tanta la efectividad, tan honesto y serio su proceder, tan útiles y fructíferas sus recomendaciones, que empecé a asistir a sus charlas, cursos y seminarios. Con ello he aprendido que para ser una perfecta y confiable asesora de Feng Shui no basta con leer y salir a pregonar. Es indispensable ser una persona correcta, honesta, confiable y prudente, y estar dotada de la innata sensibilidad energética, el espíritu investigativo y el sentido de responsabilidad con los cuales el Creador premia a determinados seres humanos.

He traído a colación mi experiencia personal porque con la lectura del presente libro corroboro la absoluta falta de egoísmo de Claudia al difundir el fruto de sus estudios, dado que con su contenido aprendemos cuán benéfico y productivo es acrecentar día a día los conocimientos sobre el correcto manejo de las energías que nos circundan por doquier aplicando la filosofía del Feng Shui, tema aquí enriquecido con rituales adicionales y recomendaciones que amplían el contenido de su libro anterior.

En cuanto al interesante capítulo sobre numerología: es un manual que nos enseña que cada individuo posee un código numerológico con el cual vibra, y nos explica cómo encontrarlo y cómo utilizarlo para equilibrar nuestra vida económica, emocional, laboral, profesional y física, así como nuestras relaciones. Aprendemos a puntualizar qué números aportan excelente suerte tanto a nosotros mismos como a nuestra pareja, recibimos recomendaciones sobre el efecto positivo al aplicarlos en las diferentes situaciones, y con asombro nos enteramos de cómo también la vibración que emanan los números que identifican o delimitan las diferentes localidades que habitamos (casas, apartamentos, oficinas, locales comerciales) con fines personales, laborales, comerciales o industriales, ejercen una insospechada influencia que puede afectarnos negativamente.

Otro interesante capítulo que encontramos en este libro es el de la simbología china, que está milenariamente ligada a la aplicación del Feng Shui ya que, dada la energía que los símbolos aportan a nuestro entorno, sirven como complemento a todas las fórmulas y métodos. Los símbolos de activación nacen de hermosas historias de amor, de dedicación al estudio, de respeto a los mayores, de deseos de superación, de honesto proceder. Nacen también de animales imaginarios plenos de una combinación mística de energías positivas que nos ayudan en todos los aspectos. Este tema goza de total aceptación en la cultura oriental y tiene una gran importancia; la fortaleza de este libro es que nos ayuda a nosotros los occidentales a comprender la potencia de su aplicación. Encontramos aquí una amplia ilustración del significado de la simbología y su correcta utilización en la práctica del Feng Shui.

Al finalizar la lectura de este libro he sentido una inmensa satisfacción porque puedo constatar que, transcurridos diecinueve años, Claudia E. Roldán conserva intactos sus deseos de "hacer prósperas a muchas personas", tal como lo expresó al inicio del primer seminario al cual tuve la fortuna de asistir.

Les recomiendo leer, analizar, aplicar y disfrutar este regalo que el Universo ha puesto en sus manos para su bienestar y el de quienes los rodean.

FABIOLA RODRÍGUEZ DE PEDRETTI
Clienta, amiga y colaboradora de Claudia E. Roldán

ANTES DE COMENZAR

El Feng Shui, un arte milenario que nació en la China, ha sido transmitido de generación en generación, de maestro a discípulo, para ayudar a las personas a balancear las energías a su alrededor y utilizarlas a su favor según el lugar, el momento y los objetos que las rodean. En mi libro anterior *Feng Shui para vivir mejor*, quise explicar las bases de este arte para que cualquiera pueda ponerlo en práctica en su casa, su oficina o su negocio. Un libro, sin embargo, solo cubre una pequeña fracción de toda la riqueza del Feng Shui y de todas las enseñanzas y recomendaciones que puede ofrecernos. Por eso ahora he decidido complementar mi obra anterior con un libro sobre la numerología del Feng Shui, que es esencial para entender cómo los números de la fecha de su nacimiento y de la fecha presente, afectan su vida. Con las enseñanzas y recomendaciones que le comparto en este libro, y que no han sido reveladas públicamente antes en castellano, puede usar la numerología y el Feng Shui para mejorar su vida emocional, laboral, familiar y económica. A lo largo del texto encontrará unas palabras resaltadas que conforman el glosario, ubicado al final del libro, y que le servirá de guía para la lectura.

Por tradición china, este conocimiento que con gusto estoy poniendo a su alcance debe ser retribuido no en forma económica, sino con una oración de agradecimiento.

INTRODUCCIÓN

El sublime momento del nacimiento, ese en el cual una persona sale del vientre materno para enfrentarse a la realidad de la existencia humana, marca para todos y cada uno de nosotros la individualidad, nuestro distintivo carácter dotado de un potencial que nos permite la libertad de hacer de nuestras vidas justo lo que nosotros deseemos. Por esta razón el número más importante en la carta numerológica de las personas se basa en su fecha de nacimiento, pues ese es el primer momento en que la energía de los números entra a formar parte de la vida.

El Universo es un número: el tiempo marca números, hay cálculos matemáticos, cálculos físicos, se utilizan números para deducir el volumen, el peso y la altura. Como decía el filósofo matemático griego Pitágoras: "Cada número tiene su propia vibración cósmica diferente". Él creía que el mundo era toda una frecuencia numérica. La numerología funciona con la combinación de solo los números primarios del 1 al 9; con ellos se producen muchas operaciones matemáticas, aunque se desconoce su origen, y cada número trae un mensaje que revela la forma de vida. Aristóteles decía que "el Universo era una escala musical y numérica".

El número resultante de nuestra fecha de nacimiento es una importantísima guía para obtener información sobre nuestro temperamento y la forma de aprovechar de manera positiva las oportunidades, enseñanzas y retos que debemos afrontar en el transcurso de nuestra existencia.

Los números, sus significados, las sumas y combinaciones son aliados que debemos aprovechar, pues con ellos podemos afianzarnos en el conocimiento de nuestro yo y convertir actitudes, lugares y planes en entornos de felicidad, prosperidad y aumento de ingresos. ¡Pero para ello hay que aprender a utilizarlos!

Hay combinaciones de números especiales que aportan buena energía para activar la prosperidad, lo que a usted le ayudará a alcanzar grandes éxitos en su profesión y en su trabajo, al activar su negocio y obtener grandes logros. Las combinaciones especiales son fáciles de detectar: solo tiene que sumar los números de su fecha de nacimiento –día, mes y año– y el resultado le aporta información importante que puede interpretar con una lectura numerológica. El resultado de la lectura no es determinante, los efectos en su vida también dependen de la forma como usted responda a las oportunidades que se le presenten para obtener grandes beneficios.

EL PODER DE
LOS CUADROS MÁGICOS

En la tradición china se dice que por el año 2943 a. C., Fu Hsi, el fundador del I Ching, inventó la escritura. Según la leyenda, recibió la información de los números que aparecieron en el lomo de un **caballo dragón chilin**, también conocido como Qui Lin o Kei Loon, que emergió del río Amarillo.

COMBINACIONES HO TU

El **cuadro mágico de Lo Shu** es una rejilla de nueve casillas en la que cada casilla tiene un número del 1 al 9 y a cada casilla le corresponde un punto cardinal. Este cuadro nos proporciona excelente información para hacer análisis completos de los espacios con sus elementos correspondientes, para saber cuáles son las **estrellas anuales y mensuales**, cuáles son los días auspiciosos para abrir negocios, para celebrar matrimonios o para someterse a cirugías, y nos ayuda a determinar movimientos en el Feng Shui, así como a calcular las lunas de creciente a menguante, y saber cuáles son los días auspiciosos de cada persona. La increíble adición de sus números da quince en cualquier dirección en que usted sume tres de sus cifras consecutivas en línea recta. Esta cuadrícula es de vital importancia para el Feng Shui, como les expliqué en mi libro *Feng Shui para vivir mejor*.

4	9	2
3	5	7
8	1	6

Cuadro mágico de Lo Shu

La segunda rejilla también se basa en el cuadro de Lo Shu de nueve casillas, pero muestra otra combinación de números auspiciosos, que sirven para sacarle el máximo provecho a la energía numerológica. El cuadro tiene un poder asombroso para atraer la suerte en la salud, en las relaciones, en el dinero y en los negocios, para activar la popularidad o el reconocimiento, o para conseguir una excepcional buena fortuna duradera. Esta segunda rejilla se llama el cuadro de **Ho Tu** y combina dos números en cada una de las cuatro casillas, que corresponden a los cuatro puntos cardinales y forman una cruz.

Estas combinaciones están acomodadas de tal forma que el resultado de la suma de todos los números pares es 20, y la suma de todos los números impares, exceptuando el 5, que tiene un lugar y poder especial, también es 20.

EJEMPLO:

Números pares: 2 + 4 + 6 + 8 = 20

Números impares 1 + 3 + 7 + 9 = 20

En la rejilla se ponen dos números en cada punto cardinal principal de la siguiente forma:

1 y 6 se ubican en el Norte, y representan el elemento agua.

8 y 3 se ubican en el Este, y representan el elemento madera.

7 y 2 se ubican en el Sur, y representan el elemento tierra.

9 y 4 se ubican en el Oeste, y representan el elemento fuego.

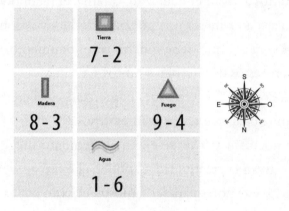

Cuadro Ho Tu

Las combinaciones de los dos números Ho Tu de cada casilla son las más benéficas. La conjunción de los números 1 y 6, que representan al elemento agua, es excelente para atraer el éxito a su carrera profesional: siempre estará ocupado en alguna actividad, los jefes siempre le brindarán apoyo y le ayudarán en todo lo que necesite, obtendrá nuevas oportunidades laborales y ascensos y se activarán logros financieros. Con esta combinación de números se obtiene una buena percepción para las inversiones.

Los números 3 y 8 representan el elemento madera. Esta combinación es excelente para activar la suerte en los negocios y para crecimiento y expansión en todo lo que haga; atrae ganancias de dinero, activa las ventas, los proyectos nuevos y el éxito en todo lo que emprenda, y atrae el dinero rápidamente ya que son buenos números para capitalizar.

La combinación de los números 7 y 2, que representan el elemento tierra, se llama la combinación de oro. Estos dos dígitos juntos activan el liderazgo, la fama, el reconocimiento y la popularidad para ser una persona productiva económicamente. Hay gente que tiene mucho reconocimiento, pero no gana dinero; estos dos números juntos activan los eventos y las reuniones sociales, las relaciones comerciales y el crecimiento en la familia para que todos sean exitosos.

Los números 4 y 9 representan al elemento fuego. Combinados activan la creatividad, el poder, el éxito académico, la suerte de los escritores para ser famosos, el éxito en los eventos literarios y en la comunicación, son buenos para los inventos de toda índole y traen suerte en el romance. Además, estos números juntos son ideales para tener buenas ideas al resolver toda clase de problemas.

Las combinaciones Ho Tu son muy auspiciosas donde quiera que aparezcan, por ejemplo en la fecha de nacimiento sumando día, mes y año. Las energías presentes en la fecha en que nacemos ejercen un profundo impacto sobre nosotros: nos rigen en las características de personalidad, en nuestro destino, en los aspectos de nuestra vida, en las relaciones personales, familiares y profesionales; en la salud, el dinero y el conocimiento; y en el éxito y la fama. A cada **número Kua** también lo preside un **trigrama** del I Ching del que se derivan combinaciones de tres líneas, unas continuas, que representan el Yang; y otras discontinuas, que representan el Yin. Estas líneas nos dan la información de qué punto cardinal corresponde en el **Ba-Gua** y el elemento que le preside a cada número. Esta vibración energética integra todas las características por año de nacimiento y es imposible de repetir, pues la fecha en que nacimos no cambia en toda nuestra vida. También la unión de los matrimonios por número Kua de cada uno puede formar una combinación Ho Tu, que hace que el matrimonio sea próspero, que en el transcurso de su vida consigan mucho dinero o que vivan una vida con todas las comodidades. Cuando se desea hacer una sociedad que sea exitosa y se proyecte a futuro, se puede escoger por número Kua al socio que haga una combinación Ho Tu.

No todas las personas nacen con una combinación Ho Tu, pero una de las formas de sacarle el máximo provecho a estas combinaciones es portando la pareja de números en su billetera, pegarlos debajo del escritorio, pegarlos entre el colchón y la base de su cama o mesa de noche, gravarlos en la argolla de matrimonio, o incluirlos en los documentos importantes. Entre más tiempo cargue los números más poderosa se vuelve la vibración; la finalidad es atraerla hacia usted y activar la buena suerte. También podemos escoger las combinaciones Ho Tu en las nomenclaturas de las direcciones de las casas, apartamentos, locales comerciales o en las placas de los carros, y que estos números estén presentes en las cuentas bancarias.

A continuación les comparto el valor numérico de los meses para que sumen la fecha de su nacimiento:

Mes	Valor numérico
Enero	1
Febrero	2
Marzo	3
Abril	4
Mayo	5
Junio	6
Julio	7
Agosto	8
Septiembre	9
Octubre	10 (1+0) = 1
Noviembre	11 (1+1) = 2
Diciembre	12 (1+2) = 3

EJEMPLOS DE CÓMO CALCULAR SUS NÚMEROS HO TU POR FECHA DE NACIMIENTO

Se debe sumar los dígitos del día y del mes de nacimiento para calcular el primer número Ho Tu, y los dígitos del año de nacimiento para calcular el segundo número. Además es necesario reducir toda suma de dos dígitos a un solo dígito.

EJEMPLOS HO TU 7-2 POR FECHA DE NACIMIENTO

Ejemplo 1

Para una persona nacida el 8 de diciembre de 1960, se hace el cálculo de la siguiente forma:

- El mes de diciembre, 12, se calcula sumando los dígitos del mes:
  $$1 + 2 = 3$$

- Luego se suman día y mes de nacimiento:
  $$8 + 3 = 11$$

- Como se debe reducir la cifra a un solo dígito, se vuelven a sumar los dígitos del resultado:
  $$1 + 1 = 2$$

- Luego se calcula el número del año de nacimiento sumando todos los dígitos:
  $$1 + 9 + 6 + 0 = 16$$

- Como se debe reducir a un solo dígito, se suma nuevamente:
  $$1 + 6 = 7$$

- Esta persona tiene en su fecha de nacimiento el Ho Tu 7-2, donde el 7 corresponde a la suma de los dígitos de su año de nacimiento y el 2 corresponde a la suma del mes y el día de su nacimiento.

Ejemplo 2

Una persona nacida el 2 de septiembre de 1987.

- Suma del día y mes de nacimiento:
  $$2 + 9 = 11$$

- Como se debe reducir a un solo dígito se vuelve a sumar el resultado:
  $1 + 1 = 2$
- Suma de los dígitos del año de nacimiento:
  $1 + 9 + 8 + 7 = 25$
- Como se debe reducir a un solo dígito se vuelve a sumar el resultado:
  $2 + 5 = 7$
- Esta persona tiene en su fecha de nacimiento el Ho Tu 7-2.

EJEMPLOS HO TU 8-3 POR FECHA DE NACIMIENTO

Ejemplo 3

Persona nacida el 18 de diciembre de 1979.
- Cálculo del primer número por los dígitos del día y mes de nacimiento:
  $1 + 8 + 1 + 2 = 12$
- Como se debe reducir a un solo dígito se vuelve a sumar este resultado:
  $1 + 2 = 3$
- Cálculo del segundo número por año de nacimiento:
  $1 + 9 + 7 + 9 = 26$
- Como se debe reducir a un solo dígito se vuelve a sumar este resultado:
  $2 + 6 = 8$

- Esta persona tiene en su fecha de nacimiento el Ho Tu 8-3.

Ejemplo 4

Persona nacida el 1 de febrero de 1997.

- Cálculo por día y mes de nacimiento:
  $1 + 2 = 3$
- Cálculo por año de nacimiento:
  $1 + 9 + 9 + 7 = 26$
- Como se debe reducir a un solo dígito se vuelve a sumar este resultado:
  $2 + 6 = 8$
- Esta persona tiene en su fecha de nacimiento el Ho Tu 8-3.

Ejemplos Ho Tu 1-6 por fecha de nacimiento

Ejemplo 5

Persona nacida el 16 de marzo de 1986.

- Cálculo por día y mes de nacimiento:
  $1 + 6 + 3 = 10$
- Como el cero no suma queda número 1.
- Cálculo por año de nacimiento:
  $1 + 9 + 8 + 6 = 24$
- Como se debe reducir a un solo dígito se vuelve a sumar este resultado:
  $2 + 4 = 6$

- Esta persona tiene en su fecha de nacimiento el Ho Tu 1-6.

Ejemplo 6

Persona nacida el 14 de mayo de 1977.

- Cálculo por día y mes de nacimiento:

$1 + 4 + 5 = 10$

- Como el cero no suma queda número 1.
- Cálculo por año de nacimiento:

$1 + 9 + 7 + 7 = 24$

- Como se debe reducir a un solo dígito se vuelve a sumar este resultado:

$2 + 4 = 6$

- Esta persona tiene en su fecha de nacimiento el Ho Tu 1-6.

EJEMPLOS HO TU 9-4 POR FECHA DE NACIMIENTO

Ejemplo 7

Persona nacida el 2 de febrero de 1998.

- Cálculo por día y mes de nacimiento:

$2 + 2 = 4$

- Cálculo por año de nacimiento:

$1 + 9 + 9 + 8 = 27$

- Como se debe reducir a un solo dígito se vuelve a sumar este resultado:

$2 + 7 = 9$

- Esta persona tiene en su fecha de nacimiento el Ho Tu 9-4.

Ejemplo 8

Persona nacida 5 de abril de 1984.

- Cálculo por día y mes de nacimiento:

  $5 + 4 = 9$

- Cálculo por año de nacimiento:

  $1 + 9 + 8 + 4 = 22$

- Como se debe reducir a un solo dígito se vuelve a sumar este resultado:

  $2 + 2 = 4$

- Esta persona tiene en su fecha de nacimiento el Ho Tu 9-4.

Fórmula para calcular el número Kua

Como expliqué en mi libro anterior *Feng Shui para vivir mejor*, las energías presentes en la fecha en que nacemos ejercen un profundo impacto sobre nosotros: nos rigen en las características de personalidad, en nuestro destino, en los aspectos de nuestra vida como las relaciones personales, familiares y profesionales, la salud, el dinero y el conocimiento, así como en el éxito y la fama. Esta vibración energética integra todas las características de cada persona y se rige por el año de nacimiento. Es imposible de modificar, pues la fecha en que nacimos no cambia en toda nuestra vida. Por lo tanto, cada persona tiene un número propio llamado el número Kua, y este número determina la forma más fácil de activar la energía para equilibrar fuerzas y crear armonía.

Para determinar el número Kua hay una fórmula matemática para hombres y otra para mujeres. El número determinante de los hombres es –10 y el de las mujeres +5; esta es la cifra constante hasta el año 1999. Para las personas nacidas después del 4 de febrero del año 2000, existen dos variaciones en la fórmula: la constante para los hombres es –11 y para las mujeres es mujeres +4; en la segunda variación de este milenio se suman todos los dígitos del año de nacimiento.

El calendario chino es lunar, no solar, por eso su fin de año no siempre se celebra en la misma fecha. El cálculo del año de nacimiento se hace partiendo del solsticio de invierno, que siempre es el 21 de diciembre, luego se cuenta la segunda luna nueva y es en esa fecha cuando se festeja el inicio de un nuevo año. Las personas que hayan nacido entre el mes de enero y de febrero deben mirar siempre cuándo finalizó el año para determinar su número Kua, pues es entre estos dos meses que se celebra el cambio de año y la fecha exacta varía.

Fechas de inicio y fin de cada año nuevo chino

Año	Comienza (mes y día)	Acaba (mes y día del año siguiente)
1936	ene-24	feb-10
1937	feb-11	ene-30
1938	ene-31	feb-18

Año	Comienza (mes y día)	Acaba (mes y día del año siguiente)
1939	feb-19	feb-07
1940	feb-08	ene-26
1941	ene-27	feb-14
1942	feb-15	feb-04
1943	feb-05	ene-24
1944	ene-25	feb-12
1945	feb-13	feb-01
1946	feb-02	ene-21
1947	ene-22	feb-09
1948	feb-10	ene-28
1949	ene-29	feb-16
1950	feb-17	feb-05
1951	feb-06	ene-26
1952	ene-27	feb-13
1953	feb-14	feb-02
1954	feb-03	ene-23
1955	ene-24	feb-11
1956	feb-12	ene-30
1957	ene-31	feb-17
1958	feb-18	feb-07
1959	feb-08	ene-27
1960	ene-28	feb-14
1961	feb-15	feb-04
1962	feb-05	ene-24
1963	ene-25	feb-12
1964	feb-13	feb-01
1965	feb-02	ene-20
1966	ene-21	feb-08
1967	feb-09	ene-29
1968	ene-30	feb-16

Año	Comienza (mes y día)	Acaba (mes y día del año siguiente)
1969	feb-17	feb-05
1970	feb-06	ene-26
1971	ene-27	feb-14
1972	feb-15	feb-02
1973	feb-03	ene-22
1974	ene-23	feb-10
1975	feb-11	ene-30
1976	ene-31	feb-17
1977	feb-18	feb-06
1978	feb-07	ene-27
1979	ene-28	feb-15
1980	feb-16	feb-04
1981	feb-05	ene-24
1982	ene-25	feb-12
1983	feb-13	feb-01
1984	feb-02	feb-19
1985	feb-20	feb-08
1986	feb-09	ene-28
1987	ene-29	feb-16
1988	feb-17	feb-05
1989	feb-06	ene-26
1990	ene-27	feb-14
1991	feb-15	feb-03
1992	feb-04	ene-22
1993	ene-23	feb-09
1994	feb-10	ene-30
1995	ene-31	feb-18
1996	feb-19	feb-06
1997	feb-07	ene-27
1998	ene-28	feb-15

Año	Comienza (mes y día)	Acaba (mes y día del año siguiente)
1999	feb-16	feb-04
2000	feb-05	ene-23
2001	ene-24	feb-11
2002	feb-12	ene-31
2003	feb-01	ene-21
2004	ene-22	feb-08
2005	feb-09	ene-28
2006	ene-29	feb-17
2007	feb-18	feb-06
2008	feb-07	ene-25
2009	ene-26	feb-13
2010	feb-14	feb-02
2011	feb-03	ene-22
2012	ene-23	feb-09
2013	feb-10	ene-29
2014	ene-31	feb-18
2015	feb-19	feb-07
2016	feb-08	ene-27
2017	ene-28	feb-18
2018	feb-19	feb-04
2019	feb-05	ene-24
2020	ene-25	feb-11
2021	feb-12	ene-31
2022	feb-01	ene-21
2023	ene-22	feb-09
2024	feb-10	ene-28
2025	ene-29	feb-16
2026	feb-17	feb-05
2027	feb-06	ene-25
2028	ene-26	feb-12

Año	Comienza (mes y día)	Acaba (mes y día del año siguiente)
2029	feb-13	feb-02
2030	feb-03	ene-22
2031	ene-23	feb-10
2032	feb-11	ene-30
2033	ene-31	feb-18
2034	feb-19	feb-07
2035	feb-08	ene-27
2036	ene-28	feb-14
2037	feb-15	feb-03
2038	feb-04	ene-23
2039	ene-24	feb-11
2040	feb-12	ene-31

FÓRMULA PARA HALLAR EL NÚMERO KUA DE LOS HOMBRES

Si nació antes del 4 de febrero del año 2000, escriba los dos últimos números de su año de nacimiento, después súmelos hasta reducir el resultado a un sólo dígito. Después haga la siguiente resta: 10 menos el número que le resultó de sumar los dos últimos dígitos de su año de nacimiento. El número resultante es su número Kua.

Si nació después del 4 de febrero del año 2000, sume todos los dígitos de su año de nacimiento, y en vez de restarle el resultado al número 10, réstele el resultado al número 11; es decir, para encontrar su número Kua debe tomar 11 menos el resultado de la suma de los dígitos de su año de nacimiento.

A continuación verá algunos ejemplos.

EJEMPLOS DE CÓMO CALCULAR EL NÚMERO KUA PARA HOMBRES

Ejemplo 1

Hombre que nació en mayo del 1957.

- Suma de los dos últimos dígitos de su año de nacimiento:

  $5 + 7 = 12$

- Como la suma dio dos dígitos tendrá que volver a sumar para reducir la cifra a un solo dígito:

  $1 + 2 = 3$

- Después se ejecuta la resta con la fórmula base:

  $10 - 3 = 7$

- Su número Kua es el 7.

Ejemplo 2

Hombre que nació en abril del 1973.

- Se suman los dos últimos dígitos de su año de nacimiento:

  $7 + 3 = 10$

- Como el 0 no cuenta el resultado es 1.

- Después se ejecuta la resta con la fórmula base:

  $10 - 1 = 9$

- Su número Kua es el 9.

Ejemplo 3

Hombre que nació en septiembre del 1981.

- Se suman las dos últimos dígitos del año de nacimiento:

  $8 + 1 = 9$
- Después se ejecuta la resta con la fórmula base:

  $10 - 9 = 1$
- Su número Kua es el 1.

Ejemplo 4

Hombre que nació en octubre de 2013.

- Se suman todos los dígitos del año de nacimiento, puesto que nació después del 4 de febrero del año 2000.

  $2 + 0 + 1 + 3 = 6$
- Después se ejecuta la resta, que también varía por haber nacido después del 2000. La fórmula base es ahora -11.

  $11 - 6 = 5$
- Su número Kua es el 5.

Ejemplo 5

Hombre que nació en junio de 2007.

- Se suman todos los dígitos del año de nacimiento:

  $2 + 0 + 0 + 7 = 9$
- Luego se aplica la fórmula base:

  $11 - 9 = 2$
- Su número Kua es el 2.

Ejemplo 6

Hombre nacido el 14 de febrero de 1999.

- Dado que la fecha de nacimiento es antes del nuevo año chino, pues en 1999 el primer día del año nuevo fue febrero 16, para esta persona todavía no había cambiado el año. Por lo tanto, se debe tener en cuenta para el cálculo del número Kua; es decir que en vez de 1999, se toma como año de nacimiento 1998. Luego se aplica la fórmula.
- Suma de los dígitos del año de nacimiento:

  $9 + 8 = 17$

  $1 + 7 = 8$

- Luego se aplica la resta de acuerdo a la fórmula básica:

  $10 - 8 = 2$

- Entonces el número Kua de esta persona es 2.

Fórmula para hallar el número Kua de las mujeres

Tome las dos últimas cifras de su año de nacimiento, después súmelas hasta reducir el resultado a un solo dígito. Si nació antes del 4 de febrero del año 2000, luego sume al número que le ha dado un 5, que es la constante de la fórmula del número Kua para las mujeres. Si nació después del 4 de febrero del año 2000, tome la suma de todos los dígitos de su año de nacimiento y sume al número que le ha dado un 4. El resultado es su número Kua.

EJEMPLOS DE CÓMO CALCULAR EL NÚMERO KUA PARA LAS MUJERES

Ejemplo 1

Mujer que nació en junio de 1988.

- Sumar los dos últimos dígitos del año de nacimiento:

  8 + 8 = 16

- Reducir a un solo dígito:

  1 + 6 = 7

- Luego aplicar la fórmula base, sumándole 5 al resultado anterior:

  5 + 7 = 12

- Como el resultado tiene dos dígitos se deben volver a sumar los números para reducir la cifra a un solo dígito:

  1 + 2 = 3

- Su número Kua es el 3.

Ejemplo 2

Mujer que nació en marzo de 1964.

- Se suman los dos últimos dígitos del año de nacimiento:

  6 + 4 = 10

- Como el 0 no cuenta el resultado es 1.

- Después se ejecuta la fórmula base, que en este caso es sumarle 5 al resultado anterior:

  5 + 1 = 6

- Su número Kua es el 6.

Ejemplo 3

Mujer nacida en agosto de 1975.

- Se suman los dos últimos dígitos de su año de nacimiento:

  $7 + 5 = 12$

- Como la suma dio dos dígitos se tendrá que volver a sumar para reducir la cifra a un solo dígito:

  $1 + 2 = 3$

- Después se ejecuta la fórmula base, sumándole 5 al resultado anterior:

  $5 + 3 = 8$

- Su número Kua es el 8.

Ejemplo 4

Mujer que nació en noviembre 2005.

- Se suman todos los dígitos del año de nacimiento, puesto que nació después del 4 de febrero del año 2000:

  $2 + 0 + 0 + 5 = 7$

- Después se ejecuta la fórmula base, que en este caso, por haber nacido después del año 2000, se calcula sumándole 4 al número anterior:

  $7 + 4 = 11$

- Como el resultado de la suma es de dos dígitos, se debe volver a sumar para reducir la cifra a un solo dígito:

$1 + 1 = 2$

- Su número Kua es el 2.

Ejemplo 5

Mujer que nació en diciembre 2016.

- Se suman todos los dígitos del año de nacimiento, puesto que nació después del 4 de febrero del año 2000:
  $2 + 0 + 1 + 6 = 9$
- Después se ejecuta la suma de la fórmula base, sumándole 4 al resultado anterior, puesto que nació después de febrero del año 2000:
  $9 + 4 = 13$
- Como el resultado de la suma es de dos dígitos, de debe volver a sumar para reducir la cifra a un solo dígito:
  $1 + 3 = 4$
- Su número Kua es el 4.

Ejemplo 6

Mujer que nació en enero 24 de 1967.

- Dado que la fecha de nacimiento es antes del nuevo año lunar, pues en 1967 el primer día del año nuevo fue el 9 de febrero, se debe tomar como referencia el año anterior, 1966, en vez de 1967. Luego se aplica la fórmula.
- Se suman los dos últimos dígitos del año de nacimiento:

6 + 6 = 12

- Como el resultado de la suma es de dos dígitos, de debe volver a sumar para reducir la cifra a un solo dígito:

1 + 2 = 3

- Y se suma 5 al resultado final:

5 + 3 = 8

- Su número Kua es el 8.

Después de calcular su número Kua, puede conocer las combinaciones Ho Tu más benéficas para atraer la prosperidad según su número Kua. Cuando conozco un matrimonio con combinación Ho Tu, les digo: "Me imagino que cuando se casaron tenían solo la cama". Se ríen y contestan que así fue, y que con el pasar de los años ahora son dueños de lucrativas empresas, son buenos comerciantes o ejecutivos exitosos con muy buenas entradas de dinero. Esto se debe a los beneficios de las combinaciones Ho Tu.

NUMEROLOGÍA PARA PAREJAS

A continuación verán algunos ejemplos de cómo se aplica la numerología para parejas.

Ejemplo 1
- El hombre nació en el año 1965 y su número Kua es el 8.

- La mujer nació en el año 1970 y su número Kua es el 3.
- Esta combinación es Ho Tu 8-3. Activa la suerte y el éxito en los negocios, el crecimiento y la expansión en todo lo que hagan, atrae ganancias inesperadas y golpes de suerte. Cumplen todo lo que se proponen y son acumuladores de bienes.

Ejemplo 2

- El hombre nació en el año 1975 y su número Kua es el 7.
- La mujer nació en el año 1978 y su número Kua es el 2.
- Esta combinación es Ho Tu 7-2. Activa el liderazgo, la fama, el reconocimiento y la popularidad. Todos los negocios que montan serán famosos a muy corto plazo, mueven masas con mucha facilidad y en los círculos sociales no pasan desapercibidos.

Ejemplo 3

- El hombre nació en el año 1987 y su número Kua es el 4.
- La mujer nació en el año 1994 y su número Kua es el 9.
- Esta combinación es Ho Tu 9-4. Activa la comunicación, el don de la palabra, la suerte en las ventas y en la creación de nuevos negocios. Son personas

buenas para resolver problemas en un momentico porque les fluyen las ideas.

Ejemplo 4
- El hombre nació en el año 1958 y su número Kua es el 6.
- La mujer nació en el año 1959 y su número Kua es el 1.
- Esta combinación es Ho Tu 6-1. Son muy buenos ejecutivos en su carrera profesional, siempre tienen oportunidades laborales excelentes y ascensos con muy buena remuneración. Tienen muy buena visión para la inversión en general y tienen éxito en los negocios.

CÓMO ACTIVAR EL NÚMERO KUA

Como ya sabe calcular su número Kua, identifíquelo para activar grandes oportunidades y beneficios en su vida de acuerdo a su elemento y al día benéfico que le corresponde para potencializar todas las posibilidades del éxito. Lo que importa es que permita que la vida fluya según su curso natural.

NÚMERO KUA 1: ELEMENTO AGUA

Las personas con número Kua 1 tienen como elemento el agua. Este número está asociado con el triunfo. Para atraer su energía numérica lo ideal es que este número esté en la nomenclatura de su casa o apartamento, en el número de las oficinas o locales comerciales, en la placa de los carros, en el número de teléfono es benéfico tener al menos uno o múltiples 1, al igual que en los precios de mercancías o asesorías. Puede seleccionar el primer día de cada mes o los números acompañados del 1, es decir del 10-19, 21 y 31, para iniciar nuevos proyectos, hacer negociaciones, citar reuniones de trabajo importantes, comprar o vender inmuebles, o hablar con su jefe o un cliente importante.

Su punto cardinal favorable es el Norte. En este sector es beneficioso tener una fuente de agua, acuarios, cascadas o una pared de agua para atraer un buen flujo de dinero. Debe mantener este sector muy organizado, cuídelo atentamente tanto en su casa como en la oficina. Evite decorar el Norte de sus espacios con el elemento tierra, que se manifiesta en materiales como la cerámica, el barro, la porcelana o el yeso. Es mejor pintar las paredes de blanco y debe evitar los colores rojos y amarillos en esta dirección. Coloque objetos decorativos de elemento metal como bronce, cobre, plata o acero.

Si tiene muchas plantas en este sector debe reducir la cantidad, ya que las plantas representan la madera y estas agotan el elemento agua. Tenga máximo tres plantas, pues en el ciclo de los elementos la madera absorbe el agua, lo cual genera pérdidas de oportunidades laborales o de negocios. Para trabajar o estudiar debe sentarse con su nariz apuntando hacia el Norte, pues esta dirección le aporta conocimiento, crecimiento personal y dinero.

NÚMEROS KUA 2, 5 Y 8: ELEMENTO TIERRA

Las personas 2 tierra madre, 5 tierra centro y 8 tierra montaña pertenecen a la gran fila axial que le corresponde al elemento tierra.

Las personas con número Kua 2 tienen como elemento la tierra madre y el se asocian con el servicio. Para atraer su energía numérica lo ideal es que este número esté en la nomenclatura de su casa o apartamento, en el número de las oficinas o locales comerciales, en la placa de los carros, en el número de teléfono sería ideal tener uno o varios 2, así como en los precios de mercancías o asesorías. Puede seleccionar el segundo día de cada mes o los números acompañados del 2, como el 12 y del 20 al 29, para iniciar nuevos proyectos, hacer negociaciones, citar reuniones de trabajo, comprar o vender inmuebles, y hablar con su jefe o con un cliente importante.

El punto cardinal favorable del número Kua 2 es el Suroeste. Allí puede ubicar un cuadro con un paisaje de tierra como de valles con colinas, trigales, arrozales o maizales y que no tengan el elemento agua. Pueden ser cuadros con mucha gente, también cuadros de pareja, o puede colocar muchas piedras semipreciosas como cuarzo citrino, amatista, cuarzo rosado y jaspe, entre otros. Se puede colocar una lámpara con luz brillante, que lo beneficia atrayendo un buen flujo de dinero. Debe mantener este sector muy organizado, cuídelo atentamente tanto en su casa como en la oficina. Evite colocar en el punto cardinal Suroeste demasiadas plantas verdes, pues esto le activa problemas trayendo obstáculos en el camino para conseguir el éxito y generando deterioro en las relaciones. Es mejor utilizar plantas con flores. Los elementos decorativos propicios para esta área deben ser hechos en tierra como la cerámica, el barro o la porcelana. Evite a toda costa decorar con tallados en madera y no se exceda en el elemento metal. Debe prescindir en este sector de los colores verde y azul.

Para trabajar o estudiar se debe sentar enfrentado con su nariz apuntando hacia el Suroeste esta dirección le aporta conocimiento, crecimiento personal y dinero.

El número Kua 5, elemento tierra centro, es asociado con la conciliación. Para atraer su energía numérica es ideal que este número esté en la nomenclatura de su casa o apartamento, en el número de las oficinas o locales comerciales, en la placa de los carros, en el número de teléfono sería benéfico tener uno o varios 5, así como en los precios de mercancías o asesorías. Le recomiendo seleccionar el quinto día de cada mes o los números acompañados del 5 como el 15 y el 25 para iniciar metas propuestas o nuevos proyectos, hacer negociaciones, citar reuniones de trabajo, comprar o vender de inmuebles y para hablar con su jefe o un cliente importante. Es muy bueno colocar en el centro de la casa una lámpara de cristal con luz amarilla, pues esto hace que se sienta recargado de energía. Evite tallados en madera y los colores verde y azul.

Para trabajar o estudiar, si usted es hombre debe sentarse con su nariz apuntando al Suroeste, y si es mujer, al Noreste; esta dirección le aporta conocimiento, crecimiento personal y dinero.

El número Kua 8, elemento tierra montaña: en este periodo 8 que inició en el año 2004 y finaliza el 2024, este número goza de una suerte excepcional. El número Kua 8 se asocia con la prosperidad; para atraer su energía numérica lo ideal es que este número esté en la nomenclatura de su casa o apartamento, en el número de las oficinas o locales comerciales, en la placa de los carros, en el número de teléfono sería ideal tener uno o varios 8, así como en los precios de mercancías o asesorías. Puede seleccionar el octavo día de cada mes o los números acompañados del 8 como el 18 y el 28 para iniciar nuevos proyectos, hacer negociaciones, citar reuniones de trabajo, comprar o vender inmuebles, hablar con su jefe o un cliente importante e iniciar metas propuestas.

Energice el punto cardinal Noreste con el elemento tierra. Puede colgar un cuadro con una gran montaña, pero que no tenga el elemento agua, o pintar 8 piedras de río grandes de dorado. También es bueno colocar piedras semipreciosas o cuarzos, como amatistas, citrino, turquesa, pirita y todas las clases de piedras, así como un mapamundi o un tazón lleno de monedas de color dorado.

No debe ubicar demasiadas plantas verdes en el Noreste, porque puede acarrear problemas y obstáculos en el camino. Evite el elemento agua como fuentes, acuarios o plantas sembradas en agua y además evite tallados en madera, así como los colores verde y azul. Para trabajar o estudiar debe sentarse con su nariz apuntando hacia el Noreste, pues esta dirección le aporta conocimiento, crecimiento personal y dinero.

NÚMERO KUA 3 Y 4: ELEMENTO MADERA

Las personas con número Kua 3 tienen el elemento madera tronco y se asocian con el crecimiento. Para atraer su energía numérica lo ideal es que este número esté en la nomenclatura de su casa o apartamento, en el número de las oficinas o locales comerciales, en la placa de los carros, y en el número de teléfono sería benéfico tener uno o varios 3, así como en los precios de mercancías o asesorías. Le recomiendo seleccionar el tercer día de cada mes o los números acompañados del 3 como el 13, 23, 30 y 31 para iniciar nuevos proyectos, hacer negociaciones, citar reuniones de trabajo, comprar o vender inmuebles, hablar con su jefe o un cliente importante, o iniciar metas propuestas.

Su punto cardinal favorable es el Este. Es de muy buen auspicio sembrar un gran árbol en su jardín en el sector del Este y siempre mantenerlo en buen estado procurando que nunca se muera. Si vive en un apartamento le recomiendo sembrar en una matera una planta con tallo fuerte como ficus, pachira, araucaria, pino o bambú, o un **tronco de la felicidad** en el punto cardinal Este de la sala.

Es bueno tener el punto Este de cualquier espacio bien iluminado, que no sea un sitio oscuro, y mantener en él plantas frondosas y sanas; además puede decorarlo con tallados en madera. Se debe evitar el elemento metal como esculturas y accesorios decorativos en cobre, bronce, acero o plata.

Si usted se sienta con su nariz apuntando hacia el Este, se beneficiará con conocimiento, crecimiento personal y dinero.

Las personas con número Kua 4 tienen como elemento la madera ramas. El número Kua 4 es asociado con el movimiento, y este número debe de estar en la nomenclatura de su casa o apartamento, en el número de las oficinas o locales comerciales, en la placa de los carros, en el número de teléfono sería ideal tener uno o varios 4, así como en los precios de mercancías o asesorías. Puede seleccionar el cuarto día de cada mes o los días acompañados del 4 como el 14 y el 24 para iniciar nuevos proyectos, hacer negociaciones, citar reuniones de trabajo, comprar o vender inmuebles, hablar con su jefe o un cliente importante e iniciar metas propuestas.

Su punto cardinal favorable es el Sureste. Es bueno que cuando escoja su sitio de vivienda este sea muy ventilado en el Sureste. Deben de tener plantas como el pino o el bambú o plantas con flores, y puede tener en este sector el elemento agua como fuentes, acuarios, piscinas o estanques. Evite decorar esta sección con el elemento metal como esculturas de bronce, cobre, plata o acero.

Para trabajar o estudiar se debe sentar con su nariz apuntando hacia el Sureste, pues esta dirección le aporta conocimiento, crecimiento personal y dinero.

NÚMERO KUA 6 Y 7: ELEMENTO METAL

Las personas con número Kua 6 tienen como elemento el metal duro, que se asocia con las bendiciones. Para atraer su energía numérica es ideal que el 6 esté en la nomenclatura de su casa o apartamento, en el número de las oficinas o locales comerciales, en la placa de los carros, en el número de teléfono sería benéfico tener uno o varios 6, así como en los precios de mercancías o asesorías. Le recomiendo seleccionar el sexto día de cada mes o los números acompañados del 6 como el 16 y el 26 para iniciar nuevos proyectos, hacer negociaciones, citar reuniones de trabajo, comprar o vender inmuebles, hablar con su jefe o un cliente importante e iniciar metas propuestas.

Su punto cardinal favorable es el Noroeste. Es ventajoso decorar ese sector con el elemento metal como el bronce, la plata, la electroplata o el acero, y también con artículos de cerámica, barro o porcelana. Las campanas y los cuencos situados en este punto cardinal traen muchos beneficios y hacerlos sonar activa las bendiciones. Para la prosperidad es recomendable ubicar piedras semipreciosas como los cuarzos de amatista, citrino, jaspe, pirita y turmalina negra, y pintar las paredes de blanco. En este sitio debe evitar tener iluminación brillante en exceso, nunca debe haber una chimenea o la cocina, y no debe decorarlo con velas ni colores rojos y verdes.

Para trabajar o estudiar se debe sentar con su nariz apuntando hacia el Noroeste, ya que esta dirección le aporta conocimiento, crecimiento personal y dinero.

Las personas con número Kua 7 tienen como elemento el metal blando y su número es asociado con la comunicación. Para atraer su energía numérica es ideal que el 7 esté en la nomenclatura de su casa o apartamento, en el número de las oficinas o locales comerciales, en la placa de los carros, en el número de teléfono sería benéfico tener uno o varios 7, así como en los precios de mercancías o asesorías. Le recomiendo seleccionar el séptimo día de cada mes o los días acompañados del 7 como el 17 y el 27 para iniciar nuevos proyectos, hacer negociaciones, citar reuniones de trabajo, comprar o vender inmuebles, hablar con su jefe o un cliente importante e iniciar metas propuestas.

Su punto cardinal favorable es el Oeste. Puede decorar este punto cardinal con el elemento metal como cobre, bronce, plata, acero, cerámica, barro o porcelana. Las campanas en este sector llaman la prosperidad y llevar consigo joyas en oro activa el éxito. Debe evitar en este sector las esculturas talladas en madera y muchas plantas; nunca debe decorarlo con velas y colores rojos, ni debe ubicar aquí el elemento agua como fuentes o plantas sembradas en agua, ni cuadros con representaciones de este elemento como ríos, mares o cascadas.

Para trabajar o estudiar debe sentarse con su nariz apuntando hacia el Oeste, pues esta dirección le aporta conocimiento, crecimiento personal y dinero.

NÚMERO KUA 9: ELEMENTO FUEGO

Las personas con número Kua 9 tiene el elemento fuego, y el número Kua 9 es asociado con el reconocimiento y la fama, así como la prosperidad futura. Para atraer su energía numérica es ideal que este número esté en la nomenclatura de su casa o apartamento, en el número de las oficinas o locales comerciales, en la placa de los carros, y en el número de teléfono sería beneficiosos tener uno o varios 9, así como en los precios de mercancías o asesorías. Le recomiendo seleccionar el noveno día de cada mes o los números acompañados del 9 como el 19 y 29 para iniciar nuevos proyectos, hacer negociaciones, citar reuniones de trabajo, comprar o vender inmuebles, hablar con su jefe o un cliente importante e iniciar metas propuestas.

Su punto cardinal favorable es el Sur. Este sector debe estar muy bien iluminado, nunca debe ser una habitación oscura, al contrario, procure usar luces brillantes, velas, colores rojos, fucsia y naranjas, tallados en madera o plantas frondosas. Ubique una figura o imagen de un caballo galopando o con las cuatro patas al piso, mas no relinchando como si estuviera asustado; también puede colocar la imagen de un pavo real o de pájaros despampanantes para activar el reconocimiento y la popularidad.

Se debe evitar el elemento metal como plata, bronce o cobre, debe tener poca cantidad del elemento tierra como cerámica, barro o porcelana, y es muy importante evitar la presencia del agua como fuentes, acuarios o cuadros con ríos, mares o cascadas.

Para trabajar o estudiar se debe sentar con su nariz apuntando hacia el Sur, pues esta dirección le aporta conocimiento, crecimiento personal y dinero.

COMBINACIONES DE OTROS NÚMEROS QUE CREAN PROSPERIDAD

En la numerología oriental aplicada en el Feng Shui existen varias maneras de aprovechar la energía de los números especiales en las fechas de nacimiento. Esto ayuda a sacar el máximo provecho de las energías para que trabajen a su favor y activar el éxito en la vida profesional y en las relaciones, así como atraer dinero y alcanzar todas sus metas, siempre y cuando usted sepa elegir y no deje pasar las oportunidades en su vida.

LOS NÚMEROS 1, 6 Y 8

Los números 1, 6 y 8 son las **tres estrellas blancas** en el cuadro de Lo Shu. Son considerados los números más auspiciosos que activan la prosperidad en el dinero, en todas las relaciones y en las oportunidades laborales, y a medida que va pasando el tiempo ejercen crecimiento y expansión en la vida. El significado del número 1 es liderazgo, profesión y buenos ingresos; el 6 es el número celestial que abre todas las oportunidades y el 8 atrae la prosperidad, el éxito y la abundancia. Cuando estos tres números están incluidos en la fecha de nacimiento la persona corre con muy buena suerte en todos los aspectos de su vida, tiene muy buenas oportunidades de trabajo, es muy exitosa y no pasa desapercibida, vive en una buena casa con todas las comodidades que quiera, tiene un buen carro, se le presenta la oportunidad de viajar y muchas veces hasta con poco dinero. Tener estos tres números atrae ganancias ocasionales o activa personas poderosas a su lado que siempre la apoyan en todo. Quien tiene estos números en su fecha de nacimiento es de muy buena suerte, por eso se debe cuidar de las personas envidiosas.

EJEMPLOS DE ESTRELLAS BLANCAS EN LA FECHA DE NACIMIENTO

- Una persona nacida el 18 de mayo de 1967 tiene la presencia de las tres estrellas blancas: **18/05/1967**: está en su fecha de nacimiento el 168.

- Una persona nacida el 6 de marzo de 1984 tiene la presencia de las tres estrellas blancas: 06/03/1984. Ahí está en su fecha de nacimiento el 1, 6 y 8.

- Una persona nacida el 8 de junio de 1988, 08/06/1988 tiene en su fecha de nacimiento 1, 6 y 8.

- Una persona nacida el 16 de agosto de 1986 tiene la presencia de las tres estrellas blancas 16/8/1986: así se repitan los números no tienen ninguna otra connotación, se toma un solo 1, 6 y 8.

Para sacarle el máximo provecho a las estrellas blancas se pueden utilizar en la nomenclatura de su casa o apartamento, en el número de las oficinas o locales comerciales, en la placa de los carros, en el número de teléfono, en los precios de mercancías o asesorías y en las cuentas bancarias, sin importar el orden.

La forma más fácil de activar sus beneficios es escribir o imprimir los tres números en un papel y guardarlos dentro de su billetera, o pegarlos en su computador o en lo que usted cargue todos los días, pues tenerlos cerca hace que la vibración sea mayor y lleguen más rápido todas las oportunidades.

4	9	2
3	5	7
8	**1**	**6**

Las tres estrellas blancas en el Cuadro Lo Shu

COMBINACIÓN DE SUMA DE DIEZ

En el cuadro de Lo Shu, cuando se suman tres números seguidos en línea recta en cualquier dirección, el resultado siempre es 15. Cuando se suman solo los extremos opuestos, sin incluir el número del centro, el resultado siempre es 10.

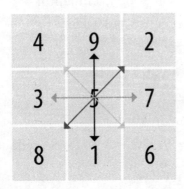

Ejemplos:

6 + 4 = 10

8 + 2 = 10

7 + 3 = 10

9 + 1 = 10

Esta es una combinación de suma de diez, y trae excelente suerte en la salud, en las relaciones familiares y con las personas que están alrededor. Quienes tienen la suma de diez en el día y mes de su nacimiento, en la suma de los dígitos de su año de nacimiento, o en la suma total de día, mes y año, tienen el beneficio de la suma de diez. Son personas que corren con muy buena suerte, pueden tener un muy buen trabajo bien remunerado, casarse con una mujer o un hombre pudiente con una entrada de dinero estable y vivir muy cómodamente. Nacen con una gran intuición y percepción para detectar personas mal pensadas y pueden presentir acontecimientos.

EJEMPLOS DE FECHAS CON SUMA DE DIEZ

Suma de día y mes de nacimiento:

- 5 de mayo: $5 + 5 = 10$
- 7 de marzo: $7 + 3 = 10$
- 9 de enero $9 + 1 = 10$

Años que suman 10:

- 1963: $1 + 9 + 6 + 3 = 19$. Se reduce a un solo dígito: $1 + 9 = 10$
- 1999: $1 + 9 + 9 + 9 = 28$. Se reduce a un solo dígito: $2 + 8 = 10$
- 2008: $2 + 0 + 0 + 8 = 10$.

Fechas completas:

Una persona nacida el 3 de mayo de 1982.

- Suma de día y mes:

  $3 + 5 = 8$

- Suma de año:

  $1 + 9 + 8 + 2 = 20$

- Su suma el total de los dos resultados:

  $8 + 20 = 28$

- Se reduce a un solo dígito:

  $2 + 8 = 10$

Una persona nacida el 4 de enero de 1958.

- Suma de día y mes:

  $4 + 1 = 5$

- Suma de año:

  $1 + 9 + 5 + 8 = 23$

- Se reduce a un solo dígito:

  $2 + 3 = 5$

- Su suma el total de los dos resultados:

  $5 + 5 = 10$

LOS CICLOS DE TIEMPO

En el Feng Shui la dimensión del tiempo se mide en tres clases de ciclos. Las primeras clases de ciclos duran un año y se conocen como las **estrellas volantes** (energía) que se mueven anualmente por cada punto cardinal. Puesto que hay años buenos y años no tan buenos, es recomendable hacer el Feng Shui cada año en su casa u oficina para poderlas proteger o activar la energía indicada, ya que la energía nunca es estática, tiene movimiento y está en constante cambio.

La segunda clase de ciclos son periodos de nueve años que se reflejan en el cuadro de Lo Shu que va de 1 a 9. La forma como se ubican los números en el cuadro va cambiando cada año; en el año que rige un determinado número, este se pone en el centro para que cada número vuelva a ocupar esta ubicación y su recorrido tarda nueve años.

La tercera clase de ciclos dura 180 años, que se dividen en 9 periodos de 20 años, también llamada trinidad cósmica del firmamento, la Tierra y la humanidad. Estos ciclos sirven para determinar las fechas propicias para nuevas construcciones de las viviendas y para establecer las mejores ubicaciones de las puertas y el manejo de las estrellas volantes por cada habitación.

Ejemplo:

En este momento estamos en el periodo 8, que empezó en 2004 y finaliza en 2024. Por eso, el 8 en este periodo es el número que trae riqueza y prosperidad. El siguiente periodo, del año 2024 hasta el 2044, es el periodo 9, y así sucesivamente hasta iniciar nuevamente con el periodo 1.

Combinación fila principal

El cuadro también se puede interpretar según líneas horizontales y verticales para determinar secuencias beneficiosas de números según la fecha de nacimiento. Cuando alguna de las combinaciones de tres números leída según la fila o la columna se presenta en la fecha importantes, estos números especiales traen una suerte arrolladora de larga duración activando fortuna, riqueza, éxito, felicidad, fama y muy buenas relaciones. Además, en general estas combinaciones también traen suerte a los descendientes para que sean exitosos. Los números deben estar presentes sin importar el orden en que aparezcan.

La tabla siguiente es de 9 casillas, y la sucesión numérica se puede leer en las líneas horizontales en secuencia 1-2-3, 4-5-6 y 7-8-9, y la combinación fila principal se lee en forma vertical en secuencia 1-4-7, 2-5-8 y 3-6-9. A continuación veremos los significados de cada secuencia.

	↓	↓	↓
→	1	2	3
→	4	5	6
→	7	8	9

Cuadro fila principal

LÍNEAS VERTICALES

Primero, 1-4-7 es una combinación beneficiosa para gozar de muy buena salud. Quienes tienen estos números en su fecha de nacimiento son personas muy habilidosas en lo artístico o en lo manual y en mercadeo, son buenas estrategas y tienen buenas destrezas de comunicación, les llega la suerte desde muy jóvenes y no paran de tenerla, además son personas muy creativas.

Ejemplos de combinación 1, 4 y 7
- Persona nacida el 7 de abril de 1981: **7/4/1981**.
- Persona nacida el 4 de noviembre de 1987: **4/11/1987**.

Segundo, 2-5-8. Quienes tienen esta secuencia son personas muy tiernas, amorosas, caritativas, generosas, sienten un amor infinito por las personas, por los animales y por la naturaleza. Son defensores de la verdad y del buen trato hacia los animales, y el amor es muy importante para ellas. Tienen una mente equilibrada y son analíticas, siempre van a tener solidez en su parte económica y corren con suerte de poder comprar inmuebles o hacer buenas inversiones.

Ejemplos de combinación 2, 5 y 8
- Persona nacida el 2 de agosto de 1985: **2/8/1985**.
- Persona nacida el 15 de abril de 1982 : **15/4/1982**.
- Persona nacida el 8 de mayo de 1972: **8/5/1972**.

Tercero, 3-6-9. Según el físico Nikola Tesla, estos tres números son la llave del Universo. Quienes tienen esta combinación son grandes pensadores, muy inteligentes, inventores, creativos y resuelven fácilmente los problemas. Son muy afortunados, pueden llegar a ser muy famosos y gozar de gran reconocimiento y mucho dinero; se pueden apodar el rey Midas, pues todo lo que tocan lo vuelven oro.

Ejemplos de combinación 3, 6 y 9

Un cliente me contaba que había conocido un gran chef peruano muy joven, llamado Virgilio Martínez, que es tan famoso que hay que pedir una reservación para su restaurante —que en este momento ocupa el quinto puesto entre los cincuenta mejores del mundo—, con cuatro meses de anticipación. Me lo describió tan bien que ahí mismo pensé que debía tener una combinación especial. Luego investigué su fecha de nacimiento y resulta que es un 3-6-9: nació el 31 de agosto de 1977. Los números se determinarían de la siguiente manera:

- Suma del día y mes de nacimiento:
  3 + 1 + 8 = 12
- Se debe reducir el resultado a un solo dígito:
  1 + 2 = 3
- Suma del año de nacimiento:
  1 + 9 + 7 + 7 = 24
- Se debe reducir el resultado a un solo dígito:
  2 + 4 = 6

- Por último, la suma de los dos resultados:
  $6 + 3 = 9$
- En los resultados de la fecha de nacimiento se ve la combinación 3-6-9; definitivamente los números son mágicos, nos crean un patrón muy marcado en la vida, cada vez me sorprendo más de constatarlo.

También se pueden calcular los números para la fecha de nacimiento de un negocio, tomando el día en que se registra en la Cámara de Comercio. Un negocio registrado el 8 de abril del 2013 se calcularía de la siguiente manera:

- Suma del día y el mes de registro:
  $8 + 4 = 12$
- Se debe reducir el resultado a un solo dígito:
  $1 + 2 = 3$
- Suma de los números del año de registro:
  $2 + 0 + 1 + 3 = 6$
- Suma total de los dos resultados:
  $3 + 6 = 9$

La combinación también se cumple cuando en la fecha de nacimiento están presentes los tres números:

- Una persona nacida el 26 de marzo de 1995: **26/3/1995.**
- Una persona nacida el 13 de septiembre de 1976: **13/9/1976.**

- Una persona nacida el 6 de septiembre de 2003: **6/9/2003**.

Tener alguna de estas combinaciones del cuadro de fila principal es favorable simplemente por haber nacido con ellas, pero si quiere potencializar más su beneficio, al igual que con todos los números auspiciosos, puede escribir o imprimirlos en un papel y cargarlos dentro de la billetera, colocarlos entre el colchón y la base de la cama, y procurar que no falten en los números de teléfono, en las cuentas bancarias y en placa del carro. También es provechoso pegar los tres números en los legajadores de los papeles importantes, tanto personales como de la compañía, y los puede colocar donde quiera para atraer la energía y que esta vibre con usted.

VIBRACIÓN DE LA DIRECCIÓN
DE LA CASA U OFICINA

Las viviendas, los locales y las oficinas tienen una influencia numérica que puede afectar a cada persona que reside o trabaja en ellas, por ello antes de comprar o alquilar es bueno saber con anticipación qué le traería vivir en ese lugar según la numerología.

Por ejemplo, cuando uno oye decir: "Compré este restaurante y me fue muy mal, me tocó venderlo, y ahora al nuevo dueño, cosa rara, le ha ido súper bien", no es "cosa rara", lo más seguro es que la vibración de esta persona más el número del local del negocio le activa la prosperidad. Determinamos esta vibración con la suma del día, mes y año de nacimiento de la persona, más la suma de la nomenclatura de la placa que identifica la edificación; no se suma el número de la calle ni de la carrera, estos números no son importantes, ni tampoco las letras.

En esta numerología no se suman las letras que pueda tener la dirección, solo los números.

Con una dirección, por ejemplo Calle 106 # 9-48, solo se suma el 9-48. Cuando es un apartamento solo se suma la placa de su puerta de entrada que lo identifica, no la dirección del condominio o del edificio.

Nota importante: para determinar la información numerológica solo se utilizan los números del 1 al 9, por eso cuando el resultado es dos dígitos debe reducirlo a un solo dígito sumando nuevamente las cifras.

EJEMPLOS DE NUMEROLOGÍA EN CASAS Y OFICINAS

Ejemplo 1

Una persona nacida el 1 de marzo de 1983 que vive en un apartamento número 502.

- Se suman el día y el mes de la fecha de nacimiento:
  $1 + 3 = 4$
- Se suman los dígitos del año de nacimiento:
  $1 + 9 + 8 + 3 = 21$
- Luego se reducen a un solo dígito:
  $2 + 1 = 3$
- Para sacar el número personal se suman los dos resultados:
  $4 + 3 = 7$
- Su número personal es el 7.
- Luego se suma el número del apartamento:
  $5 + 0 + 2 = 7$
- Finalmente, se suma el número personal y el del apartamento:
  $7 + 7 = 14$
- Y se reduce la cifra a un dígito:
  $1 + 4 = 5$
- El número 5 es la vibración con su localidad.

Ejemplo 2

Persona nacida el 26 de junio de 1979 que vive en un apartamento número 202.

- Se suman el día y el mes de la fecha de nacimiento:
  26 + 6 = 14
- Luego se reducen a un solo dígito:
  1 + 4 = 5
- Se suman los dígitos del año de nacimiento:
  1 + 9 + 7 + 9 = 26
- Y se reducen a un solo dígito:
  2 + 6 = 8
- Para determinar el número personal se suman los dos resultados:
  8 + 5 = 13
- Y se reduce la cifra a un solo dígito:
  1 + 3 = 4
- Su número personal es el 4.
- Luego se suma el número del apartamento:
  2 + 0 + 2 = 4
- Finalmente, se suma el número personal y el del apartamento:
  4 + 4 = 8
- El número 8 es la vibración con su localidad.

Ejemplo 3

Una persona nacida el 6 enero de 1962 vive en una casa en la Carrera 65 # 15-18.

- Se suma el día y el mes de la fecha de nacimiento:
  $6 + 1 = 7$
- Se suman los dígitos del año de nacimiento:
  $1 + 9 + 6 + 2 = 18$
- Luego se reduce la cifra a un solo dígito:
  $1 + 8 = 9$
- Para sacar el número personal se suman los dos resultados:
  $7 + 9 = 16$
- Y se reduce a un solo dígito:
  $1 + 6 = 7$
- Su número personal es el 7.
- Para determinar el número de la vivienda, solo se utilizan los números de la nomenclatura, es decir 15-18, sin la carrera.
- Suma de los números de la nomenclatura o placa de la casa:
  $1 + 5 + 1 + 8 = 15$
- Luego se reduce la cifra a un solo dígito:
  $1 + 5 = 6$
- Finalmente se suma el número personal y el de la placa:
  $7 + 6 = 13$
- Y se reduce a un solo dígito:
  $1 + 3 = 4$
- El número 4 es la vibración con su localidad.

Vibración de la localidad número 1

La localidad con vibración 1 no es aconsejable para las personas que quieren conseguir pareja, pues esta energía genera una predisposición a quedarse solo. Si no le interesa estar acompañado no hay problema, y si es casado evite ser una persona dominante y altanera porque puede perder su pareja. Quien resida en esta localidad disfruta de la soledad plenamente, y esta es una vivienda buena para quienes realizan actividades creativas, pues se vuelven sensibles e intuitivos, con sentido de independencia, y comienzan a interesarse por los temas de enriquecimiento personal como meditación, yoga, esoterismo, ángeles, manejo de energía, autoayuda o estudios bíblicos.

En esta localidad se puede volver poco expresivo, muy callado, enigmático, se puede desarrollar algún temor o incluso una paranoia, y se debe ser moderado con los gastos.

En el lugar de trabajo o en su negocio, adquiere mucha responsabilidad de todo lo que hace, delega poco, por eso se sobrecarga de trabajo. Se activa la habilidad para planear las cosas y planificar para el futuro. Cuando trabaja en una empresa quien labora en esta vibración tiene puestos de toma de decisiones, es muy autónomo e independiente y tiene mucha creatividad para desarrollar nuevos proyectos. En estas localidades se activan los benefactores poderosos que ayudan a impulsar la carrera profesional y elevar el estatus personal o de la compañía.

Vibración de la localidad número 2

Son sitios donde a sus habitantes les provoca cocinar mucho. En estas casas siempre se ofrece comida a la persona que llega, esto hace que siempre haya dinero por muy escaso que esté, pues dar alimento activa la prosperidad. Nunca debe negar un bocado de comida porque se le resta dinero y comienza a tener problemas de flujo de caja. En este lugar le gusta ir de compras y más si hay ofertas; tiene una energía de germinación para empezar a desarrollar cosas nuevas. Quien vive en este sitio se vuelve doctora corazón, quienes están a su alrededor le piden consejo y ayuda, se convierte en una persona aterrizada sin querer decir que deja de soñar. Este lugar activa el romance, es una casa buena para conseguir pareja y tener vínculos duraderos en sus amistades y relaciones afectivas; si ya tiene pareja, su compañero le demanda mucha atención. Aquí atrae paz y tranquilidad, detesta las personas que interrumpen la calma y no resiste los gritos. Además se activan las buenas costumbres y buenos modales.

En el lugar de trabajo o negocio, para que se cristalicen los proyectos debe hacerlos con toda la pasión y el amor hacia la actividad que se desarrolla, porque si no se pueden volver metas muy lentas y rutinarias. Si se lo propone logra acumular dinero de lo que gana en su trabajo o negocio, comprar inmuebles o tener muchos negocios.

VIBRACIÓN DE LA LOCALIDAD NÚMERO 3

Esta es una energía de crecimiento y expansión. Aquí se sentirá siempre en primavera, feliz, entusiasmado, renovado y con ganas de hacer muchas cosas. Este es un buen lugar para sentarse tiempos largos a ver televisión tranquilamente, escuchar música o estar sentado en el computador, puede pasar toda una mañana o tarde haciéndolo sin ningún problema, sin importar las horas de quietud. En esta localidad se activan las reuniones sociales y llegan oportunidades para hacer nuevos proyectos. Es un buen sitio para mantener su peso ideal, cumplir con la rutina de ejercicios, y si desea tener hijos hágase muy buenos chequeos médicos para que no vaya a tener abortos o quedarse sin descendientes.

En el lugar de trabajo activa la expansión en los negocios, se pueden abrir sucursales con mucha facilidad, se activa la comunicación con todo el mundo, y es muy fácil divulgar lo que se hace ya sea en lo comercial, en lo profesional o en cualquier actividad que desempeñe. Las ideas fluyen fácilmente para iniciar grandes proyectos, sean para usted o para la compañía en la que usted trabaja, así como para iniciar grandes compañías.

VIBRACIÓN DE LA LOCALIDAD NÚMERO 4

En este sitio la persona se vuelve muy organizada y se gana el respeto de sus vecinos. Este lugar demanda mucho trabajo, como la hormiga: trabajar y trabajar. Pero muchas veces el trabajo no se refleja en la cantidad de dinero que se tiene; como dice el dicho popular, "Lo comido por lo servido". Ingresos y egresos son proporcionales, es un lugar donde el dinero siempre se esfuma, ya sea para pago de deudas, cuotas de responsabilidades adquiridas como compra de carro o de inmuebles, cuotas de pago de los viajes, daños imprevistos o enfermedades. El dinero no se retiene, pero no hace falta. Para que la energía del dinero no se comporte así, haga un ahorro obligado, no se ponga metas altas de ahorro para que las pueda cumplir. No es una localidad mala, simplemente hay que trabajar mucho para poder obtener dinero, pero se obtiene. Procure no llevarse trabajo para la casa porque así nunca descansa, siempre tendrá cosas que hacer hasta altas horas de la noche. Este es un lugar que estresa mucho, sepa controlarlo para no enfermarse, y evite la pereza porque si toma esa actitud no logra hacer nada.

En el lugar de trabajo debe tener mucho orden mental para tomar buenas decisiones, porque puede socavar posibles logros. Mantenga un orden de las cosas para que no se genere caos. Debe ser realista y práctico, todo lo que empiece lo debe terminar. También debe estar seguro de que sus gastos estén dentro del presupuesto para no desfasarse y sentirse escaso de dinero; aunque el dinero nunca falta, siempre llega, así sea a última hora. Para que alcance sus objetivos siembre debe tener perseverancia. Cuando es empleado hace el doble de trabajo por la misma remuneración.

VIBRACIÓN DE LA LOCALIDAD NÚMERO 5

Este lugar trae viajes con facilidad. Son casas muy visitadas donde siempre hay gente, o son los sitios de las reuniones familiares o actividades sociales. Tenga mucho cuidado de no caer en excesos, la apariencia de la casa es muy importante para usted, por eso siempre se va a preocupar de que esté muy bien arreglada y decorada, y de que siempre esté linda, o planea muy fácil las reformas para verla distinta. Mientras viva ahí se sentirá muy joven, con ganas de hacer muchas cosas. Querrá cambiar de lugar la decoración de la casa con mucha facilidad porque le gusta romper la monotonía; esta actitud también se refleja en cambios personales como estar a la moda, modificar de peinado o hacerse nuevos cortes de pelo. Aquí se activan la intuición y la percepción, la energía se vuelve muy poderosa, así que aproveche para hacer rituales de prosperidad o decretar cosas positivas para usted y para su familia. Siente deseo de proyectar el futuro para estar bien, y se vuelve servicial para hacer mandados: "Yo voy", "Yo lo traigo", "Yo lo hago", lo cual quiere decir que no le molesta salir a la calle en cualquier momento.

En el lugar de trabajo se activan las opciones de negocios, de grandes oportunidades, de ascensos y trabajos que implican viajar mucho. Si quiere tocar puertas en otra ciudad o país lo puede hacer, pues aquí se hacen cambios de actividad laboral. En esta localidad debe tener los papeles legales al día para no sufrir contratiempos.

VIBRACIÓN DE LA LOCALIDAD NÚMERO 6

La persona que llega a vivir en esta localidad ama mucho la vida de hogar, se siente bien estando en la casa. Estos son lugares con propiedades kármicas, es decir, son espacios que traen consigo una enseñanza particular que si no se aprende, se debe repetir. Aquí es preferible pagar las cuentas de contado y no pedir créditos porque puede endeudarse mucho o perder el control del dinero. La energía de este sitio atrae pago de multas y problemas familiares, por lo tanto le sugiero que sea una persona prudente para evitarlos. En este lugar se puede llegar al divorcio o también a una viudez prematura, y su habitante se puede volver una persona autoritaria que se fija si se están haciendo las cosas como él o ella dice. Además siente que todo el cargo de la casa y de las personas está bajo su responsabilidad. En este sitio se debe hacer mucha oración y mucho agradecimiento por todo lo que se recibe para neutralizar todo lo negativo que ahí pueda pasar.

En el lugar de trabajo sentirá mucha responsabilidad en el puesto que desempeña o cuando es dueño de un negocio carga con toda la responsabilidad, por lo que no delega funciones. Se aconseja que sea una persona humilde, maneje muy bien el ego para que todas las situaciones evolucionen, sobre todo si involucran dinero. Evite la ostentación y dé muchas gracias al Universo por todo lo obtenido para poder recibir recompensas porque las bendiciones siempre provienen del Cielo.

VIBRACIÓN DE LA LOCALIDAD NÚMERO 7

Son casas que activan energía de alegría y de descanso, son lugares relajados, brindan mucha paz, se piensa mucho y se analiza todo lo que se hace. La mente estará a mil por hora, se tendrán muchas ideas en un solo momento o simplemente repasará todo lo que tiene que hacer en el día. Es una localidad que favorece mucho para brindarle una buena educación a los hijos, y además despierta el camino de la espiritualidad, por lo que puede frecuentar grupos de oración, yoga, meditación o superación personal. Este es un lugar en el que el dinero fluye fácilmente. En esta casa se puede volver celoso, debe cuidar de no serlo pues atraerá problemas en las relaciones. Cuídese de chismes, enredos y habladurías mientras viva en este lugar;

no dé sus opiniones cuando no se lo han pedido, es mejor guardar silencio.

En el lugar de trabajo o del negocio se disfrutan los logros, y se obtiene dinero con mucha facilidad, lo mismo que las oportunidades, que llegan sin esfuerzo alguno, casi mágicamente, muchas veces sin estarlas buscando, como un regalo fruto de los esfuerzos hechos anteriormente en su vida. Debe conservar el equilibrio para no desbalancearse en lo emocional. Como en este lugar se despiertan los celos laborales, debe protegerse.

VIBRACIÓN DE LA LOCALIDAD NÚMERO 8

Esta localidad activa las ganas de estudiar, de salir adelante en la vida, de ganar dinero montando su propio negocio o de trabajar en el puesto o empresa que usted siempre ha deseado. El dinero en esta casa se multiplica, siempre y cuando se brinde alimento; si no comparte el alimento con la gente que llega a su casa el dinero no se queda con usted: entre más dé, más llegará. Es ideal para gente fuerte a la que le gusta trabajar mucho y no le da miedo aventurarse a cosas nuevas. En esta casa puede gastar en lujos, viajar, conocer el mundo si lo quisiera hacer, y siempre va a quedar dinero para ahorrar y también para invertir. Sea muy juicioso con el dinero para que lo pueda multiplicar. Quien vibre con este número en la casa se puede volver terco y testarudo, hasta agresivo. Lo que más debe trabajar en usted es controlar su genio para lograr ser una persona tranquila.

En el lugar de trabajo es apto para que los negocios crezcan, se capitalicen con facilidad y dupliquen el cumplimiento de las metas. Cualquier actividad que se haga en este lugar creará flujo y multiplicación de dinero. Aquí se maneja el reconocimiento y la popularidad de la persona en la oficina o del negocio, y le recomiendo que siempre sea un buen jefe para que obtenga buenos dividendos.

VIBRACIÓN DE LA LOCALIDAD NÚMERO 9

Son casas vivenciales, se aprende de lo que ahí pase, sea positivo o negativo. Llegan recompensas si se trabajó bien para ser cada vez mejor persona, por ejemplo haciendo énfasis en tener paciencia, tolerancia, humildad y determinación. Las recompensas llegan en abundancia si aprendió a agradecer por todo lo que ha recibido, y si es una persona caritativa y de pensamientos positivos se le abrirá el mundo completo con lo que pida y sueñe. El número 9 representa el futuro, todo lo que emprenda en ese lugar es perdurable.

Debe cuidarse de volverse muy temperamental, de tener constantes desacuerdos, de cuestionar todo o ser problemático por pequeños detalles, de estar descontento tanto si las cosas salen de una forma como de la contraria. En este lugar se puede discutir por el dinero o por cosas insignificantes, y debe evitar las adicciones al alcohol, el cigarrillo, los fármacos o las drogas, porque lo pueden llevar a la ruina o a quebrantos de salud. Debe manejar muy bien el dinero y no gastar más de lo que se gana para que las deudas no se le salgan de control.

En el lugar de trabajo puede ser un gran líder y una persona con mucho reconocimiento. Se activa la comunicación con todas las personas que están a su alrededor o con todas las compañías con las que quiera tener vínculos. Los negocios que se abran en estas localidades son longevos, por eso cuide siempre tener un buen servicio al cliente así como un buen control de calidad. Aquí también se amplía el círculo de clientes y las ventas, y se cumplen con éxito las metas fijadas.

Ciclos de la vida numerológica

Los ciclos de vida existentes son de nueve fuerzas, también llamadas vibraciones cósmicas. Los ciclos se numeran de 1 a 9 y representan etapas de la vida, buenas, malas o regulares. Todo en la vida es acción y reacción, entonces pregúntese qué acción tomó para tener determinada reacción. Usted tiene libre albedrío para en cualquier momento tomar una decisión, ya sea siguiendo los mensajes que recibe del Universo o haciendo caso omiso de ellos. El Universo siempre manda señales con anticipación, y hay que saberlas interpretar, pues muchas de las experiencias venideras dependen de las decisiones que se tomen en este momento o en el pasado.

Los seres humanos somos cíclicos, todos pasamos por la vibración numerológica de 1 a 9. Cuando usted ya sabe que existe esta vibración, puede manejarla con más conciencia para hacer los cambios necesarios según el año por el que esté pasando. Hay años en que la vibración de la energía lo pone a trabajar en ser más paciente, le muestra que todo llega en el momento preciso y no antes de tiempo, le enseña la tolerancia, la determinación para ser capaz de decir lo que no quiere o lo que no le parece. Hay años de vencer la pereza, hay años de soltar los miedos y prejuicios, de lograr cambios radicales, años de agradecimiento, de aprender a no decir "No" de primera palabra, y de no poner problemas por detalles a las cosas y a las personas. Todo esto hace que trabaje para ser cada vez mejor y comprender lo que sucede con usted y a su alrededor, y conocer la energía de cada año hace que los cierres de ciclos no sean tan complicados.

Cada año que pasa es un aprendizaje, por eso no debe preguntar por qué pasan las cosas si no para qué. Cada persona tiene una forma diferente de ver la vida, con experiencias y elecciones distintas, por eso cada uno vive su año diferente a otros, así estén vibrado con el mismo número.

Toda la cultura oriental, llámese Japón, India o China, entre otros, siempre toma la información numerológica para sus festividades y celebraciones de los rituales por fechas del calendario lunar. Estas fechas son muy similares en todas las culturas, pero tienen diferentes nombres y fechas de celebración. Para los cambios numerológicos y la vibración de las estrellas volantes, en el Feng Shui los chinos parten de que esta vibración de cambio de ciclo comienza a tener un tránsito alrededor de septiembre y octubre, la misma época en que los judíos celebran su fin de año; por eso hay ciertas situaciones que se pueden ver finalizando año. Esta energía que empieza su movimiento de cambio queda fija vibrando en toda su potencia en el mes de febrero de cada año, cuando se celebra el inicio formal del año nuevo chino.

Para saber en qué año está vibrando debe sumar el día, mes y año de nacimiento para sacar el número personal, y luego sumarle al resultado los dígitos del año en curso. Cuando la suma da dos dígitos, hay que sumarlos otra vez para reducirlos a un solo dígito.

EJEMPLOS DE CÁLCULOS DEL AÑO DE VIBRACIÓN

Ejemplo 1

Persona nacida en marzo 5 de 1978.

- Suma del día y mes de nacimiento:

  $3 + 5 = 8$

- Suma de los dígitos del año de nacimiento:

  $1 + 9 + 7 + 8 = 25$

- Luego se reduce a un solo dígito:

  $2 + 5 = 7$

- Para determinar su número personal se suman los dos resultados:

  $8 + 7 = 15$

- Y se reduce la suma a un solo dígito:

  $1 + 5 = 6$

- Su número personal es el 6.

- Luego se hace el cálculo para el año en curso sumando los dígitos:

  $2 + 0 + 1 + 8 = 11$

- Y se reduce la suma a un solo dígito:

  $1 + 1 = 2$

- Para saber en qué año está vibrando, se suma su número personal más el número del año en curso:

  $6 + 2 = 8$

- Está vibrando en un año personal número 8.

Ejemplo 2

Persona nacida el 8 de junio de 1988.

- Suma del día y mes de nacimiento:

  $8 + 6 = 14$

- Luego se reduce a un solo dígito:

  $1 + 4 = 5$

- Suma de los dígitos del año de nacimiento:

  $1 + 9 + 8 + 8 = 26$

- Luego se reduce a un solo dígito:

  $2 + 6 = 8$

- Para sacar el número personal se suman los dos resultados:

  $5 + 8 = 13$

- Y se reduce el resultado a un solo dígito:

  $1 + 3 = 4$

- Su número personal es el 4.

- Luego se hace el cálculo para el año en curso sumando los dígitos:

  $2 + 0 + 1 + 8 = 11$

- Y se reduce el resultado a un solo dígito:

  $1 + 1 = 2$

- Para saber en qué año está vibrando, se suma su número personal más el número del año en curso:

  $4 + 2 = 6$

- Está vibrando en un año personal número 6.

Ejemplo 3

Persona nacida el 16 febrero de 1965.

- Suma del día y mes de nacimiento:
  $1 + 6 + 2 = 9$
- Suma de los dígitos del año de nacimiento:
  $1 + 9 + 6 + 5 = 21$
- Luego se reduce a un solo dígito:
  $2 + 1 = 3$
- Para sacar el número personal se suman los dos resultados:
  $9 + 3 = 12$
- Luego se reduce a un solo dígito:
  $1 + 2 = 3$
- Su número personal es el 3.
- Luego se hace el cálculo para el año en curso sumando los dígitos:
  $2 + 0 + 1 + 8 = 11$
- Luego se reduce a un solo dígito:
  $1 + 1 = 2$
- Para saber en qué año está vibrando, se suma su número personal más el número del año en curso:
  $3 + 2 = 5$
- Está vibrando en un año personal número 5.

Ejemplo 4

Persona nacida el 1 de agosto de 2007.

- Suma del día y mes de nacimiento:
  $1 + 8 = 9$

- Suma de los dígitos del año de nacimiento:

  $2 + 0 + 0 + 7 = 9$

- Para sacar el número personal se suman los dos resultados:

  $9 + 9 = 18$

- Luego se reduce a un solo dígito:

  $1 + 8 = 9$

- Su número personal es el 9.

- Luego se hace el cálculo para el año en curso sumando los dígitos:

  $2 + 0 + 1 + 8 = 11$

- Y se reduce a un solo dígito:

  $1 + 1 = 2$

- Para saber en qué año está vibrando, se suma su número personal más el número del año en curso:

  $9 + 2 = 11$

- Luego se reduce a un solo dígito:

  $1 + 1 = 2$

- Está vibrando en un año personal número 2.

AÑO PERSONAL NÚMERO 1

RECOMENDACIONES GENERALES

Usted viene de un año 9 pesado de muchos aprendizajes y vivencias, así que lo más importante antes de empezar este año 1 es hacer una buena evaluación del año anterior. Pregúntese para qué sucedieron las cosas, no por qué sucedieron, para no seguir cargando maletas pesadas en su vida y no tener que repetir historias por no aprender de las situaciones negativas o cambiar pensamientos, actitudes y rutinas. No piense que todo lo que usted hace es perfecto, todavía está a tiempo de erradicar lo que no es bueno para usted.

Este año 1 vuelve a iniciar un nuevo ciclo de 9 años. Es un año de originalidad, iniciativas, determinación y liderazgo, de inicio de nuevos proyectos y de buenas ideas. Es el año para empezar, así sea de cero, se comienza a sentir el cambio del año anterior, la energía comienza a renacer como la primavera; es el año de sembrar metas de corto y mediano plazo para ver resultados rápidamente. Esto no quiere decir que no se pueda proyectar a largo plazo, pero los resultados serían lentos; no se puede desaprovechar este año, no se puede perder tiempo, todo lo que se empieza se debe terminar.

El número 1 es unidad, por eso este año va a pensar mucho en usted, en qué quiere hacer, cómo lo quiere y qué más quiere para su vida. Puede sembrar buenos sentimientos, buenas actitudes, buenos comportamientos, así como responsabilidades y buenos pensamientos, y dejar de juzgar y de hablar mal de otros. Es el año para enfocarse en qué hacer para tener lo que quiere, lo cual se verá reflejado en el futuro. Por ejemplo, si quiere tener el viaje de sus sueños, piense en qué debe hacer para obtenerlo; si quiere tener un carro último modelo, qué pasos necesita dar para comprarlo. No se puede quedar pensando en las alternativas, es el momento para tomar una dirección en su vida, lo cual requiere mucho coraje, valor y determinación.

Este año empieza a considerar darse una oportunidad de comenzar de nuevo la labor de deshierbar y arar el terreno donde va a hacer esta nueva siembra. Con paciencia comenzarán a aparecer todas las oportunidades que está esperando. Todo llega a su debido tiempo, igual a una semilla a la que hay que esperar a que germine, así que no se desanime ni entre en estados depresivos si no ve resultados rápidos; hay que esperar para poder recibir. El aprendizaje de este año es actuar y ejecutar para obtener.

Un cliente me llamó y me dijo: "¿Cuándo vienes para que me ayudes?", así que le pregunté: "¿Qué pasó?". Me contestó: "Es que me quedé pensando, no hice nada de lo que tenía planeado, no tomé ninguna decisión y se me pasó el año". Procure que esto no le pase, pues este es un año en el que no se puede quedar quieto.

Recomendaciones para el dinero y el trabajo

Es un año bueno para tomar decisiones importantes, se tiene claridad mental y creatividad para emprender nuevas ideas. En este año se puede invertir, cambiar de trabajo, lograr un ascenso, abrir nuevos negocios, cambiar de casa, ciudad o país, solicitar becas, iniciar estudios, hacer intercambios, y en general ser perseverante para lograr una buena siembra para el futuro. Todo depende de lo que usted quiera recibir más adelante; como dice el dicho popular, "Si siembra vientos, tormentas recibirá". Para concretar sus sueños se necesita elegir y tener una actitud positiva, seguir sus instintos e intuiciones. La falta de iniciativa le puede jugar una mala pasada y terminará el año sin ejecutar sus metas. En los negocios no se extrañe que vuelva a tener clientes pequeños, como cuando inició por primera vez, que sean personas de bajos recursos que le harán sentir que ha retrocedido, pero no es así, es una enseñanza para que se acuerde muy bien cuál fue su inicio, y para darle entrada a que conozca personas influyentes que le podrán ayudar en lo que se proponga, así que aproveche.

RECOMENDACIONES PARA LAS RELACIONES

Es un buen año para comenzar una nueva relación de amor, para moverse en nuevos círculos sociales, pues se cultivan nuevas amistades que durarán toda la vida. Se conoce gente poderosa, puede dejar atrás relaciones nocivas que no aportan nada a su vida más que discordias y desilusiones. Es definitivamente hora de decidir si tolera una relación así o si debe estar solo para organizar bien su entorno. Usted elige cómo quiere vivir su vida.

RECOMENDACIONES PARA LA SALUD

En el año número 1 está pasando por la estación de la primavera después de haber estado en invierno. Es bueno iniciar el año haciéndose un chequeo general, empiece a pedir citas para todos los exámenes médicos que haya aplazado. También empiece a hacer ejercicio para fortalecer los músculos, el torrente sanguíneo y el sistema endocrino. En el Feng Shui a la primavera le corresponde el órgano del hígado, así que en el mes de marzo es excelente hacerse una buena limpieza.

AÑO PERSONAL NÚMERO 2

RECOMENDACIONES GENERALES

Es el año de la germinación. Como el año pasado sembró pequeñas y medianas metas, en este año debe esperar a que la semilla germine, por eso es un año lento, de mucho esfuerzo, de perseverancia en lo que se está haciendo con dedicación y constancia. Es de sentarse a esperar pacientemente, aunque esto no significa que no pasen acontecimientos importantes o que sea un año malo, simplemente hay que dejarlo transcurrir como llegue, recibir consejos, ser receptivo a las ideas de los demás. Es el año de cuidar lo que se tiene: la salud, la familia, la pareja, los hijos, los amigos, el trabajo, los negocios, los clientes, etcétera. Es como cuando se tiene un frijol sembrado en una mota de algodón: si le riega mucha agua se pudre y si le echa muy poca se malogra. Hay que ser como el pulpo, con todos los tentáculos en todo al mismo tiempo, estar pendiente para tener el control de todas las cosas. Por ejemplo, si se enfoca mucho en el trabajo puede perder los amigos o la familia, si solo se centra en los eventos sociales se puede terminar el trabajo o la relación de pareja. Por eso es necesario apartarle tiempo a todo.

RECOMENDACIONES PARA EL DINERO Y EL TRABAJO

No se desespere cuando vea que sus metas no concluyen rápidamente, debe tener mucha paciencia y perseverancia, pues este año no se mueve ni para atrás ni para adelante. Es como cuando uno va en un carro y lo pone en piloto automático, lo programa a la velocidad que quiere ir, retira el pie del acelerador y toma el timón para poder conducir; el timón representa su vida. No pierda el control del objetivo al cual quiere llegar, organice muy bien las ideas, los proyectos, lo que se hace en el día, y cumpla todas las metas propuestas. La energía de este año es de colaboración con las personas que están a su alrededor y de trabajar en equipo.

Este también es un buen momento para decidir si continúa con ciertos proyectos o los descarta para no gastar energía a lo que no se está dando retornos. Es momento de engrandecer lo que tiene pero procurar no hacer nada nuevo diferente a la actividad actual.

Es un buen año para iniciar estudios de toda índole, fortalecer su espiritualidad y crear sociedades. También puede solucionar problemas legales que estén pendientes, comprar y vender propiedad de finca raíz, invertir o solicitar créditos, pero no derroche el dinero.

RECOMENDACIONES PARA LAS RELACIONES

El 2 es un número par que representa la pareja, así que es una buena época para formalizar una relación para que sea más estable o para conseguir pareja y enamorarse. También es un buen año para recuperar amistades que se han roto o distanciado, para reconciliarse con la familia, participar en reuniones sociales, e invitar a los amigos a la casa para compartir alimento. Es un año para estar en comunicación con todos, estar en armonía y en paz consigo mismo y con los demás, no hablar mal de nadie y no juzgar, y es muy importante tener buenos pensamientos. Es un año en que lo ponen a prestar servicio de alguna forma, por ejemplo escuchando a las personas con problemas, aconsejando, cuidando enfermos, prestándole ayuda a los que más la necesitan, como personas de bajos recursos. El servicio no se puede negar, pues es el año de la diplomacia, la bondad y el afecto.

RECOMENDACIONES PARA LA SALUD

En este año 2, como hay que cuidar la salud, coma saludable, tenga una rutina de ejercicio, descanse bien y duerma lo que más pueda para que recupere energía. Puede iniciar tratamientos o hacerse cirugías, pues hay una buena regeneración celular de tejidos, lo cual ayuda a tener una buena cicatrización y una rápida recuperación.

Para la numerología oriental, el número 2 es un número femenino. Es el momento de experimentar todas las emociones: la tristeza, la ira, la depresión, la euforia, etcétera. Cuando no hay explicación de por qué surgen estas emociones y más aún cuando nunca se habían sentido antes, la recomendación importante es no perder el control de sus emociones. Todo debe estar en equilibrio, no se deje desbalancear, reaccione con diplomacia y no se moleste por culpa de las demás personas.

AÑO PERSONAL NÚMERO 3

RECOMENDACIONES GENERALES

Este es el año de la primavera en el que todas las hojas, las flores y los frutos nacen de nuevo. Por eso es una temporada de renovación energética, durante la cual se sentirá diferente, con muchas ganas de hacer cosas, iniciar proyectos y nuevas rutinas como hacer deporte, crear nuevos hábitos, tener nuevas responsabilidades y una buena alimentación. Esta es una época muy propicia que le proporcionará fertilidad en todo lo que emprenda, ya que nacerá con buenas raíces. Es el año más fértil para tener hijos, así que si no los espera debe cuidarse mucho para evitar quedar en embarazo.

Es el año de las tres suertes: la suerte material, que es nuestro trabajo o actividad diaria; la suerte celestial, que son las bendiciones que caen del Cielo y las oportunidades que se nos presentan por pequeñas que sean; y la suerte humana que es la elección. Para esta última debe tener claridad mental para poder tomar buenas decisiones, esté alerta para que las oportunidades no pasen frente a usted sin que las vea.

Esta anécdota es del hijo de un cliente que tiene 12 años y en medio de la asesoría me dice: "Oye, Clau, te equivocaste con lo que me dijiste para el año pasado. Tú me dijiste que iba a tener las tres suertes y perdí el año". Por supuesto mi primera reacción fue atacarme de la risa, y luego le contesté: "Hagamos una evaluación y miremos en qué parte me pude haber equivocado. Primero la suerte material, que es tu estudio,

¿tu papá te sacó del colegio por ir perdiendo el año? Por supuesto que no, entonces esa suerte te funcionó bien, sigues en tu actividad diaria. La suerte celestial son las oportunidades que te brindaron, y me imagino que los profesores te dieron la oportunidad de ganar el año y tus padres te consiguieron un tutor para nivelar las materias que no iban bien. Además sé que te enviaron a un intercambio a otro país, lo cual quiere decir que esa suerte celestial funcionó a las mil maravillas. Finalmente, la suerte humana es la elección que tú haces y tú elegiste perder el año, ¿y entonces?". Espero que ustedes en este año 3 no pierdan el año dejando pasar oportunidades.

Este es el único año en que no se califica ninguna acción personal, se podría decir que es el año del recreo. Es un periodo de mucha suerte, en que se activa la creatividad, se llena de mucha alegría y de buena comunicación. Aunque no falta el "pero": no permita que sus actividades sociales le hagan descuidar el trabajo o las actividades diarias, porque eso haría que tenga un año negativo que no aporta nada positivo a su vida y se perdería todo lo bueno que pudo haber llegado y dejó pasar por actuar superficialmente.

RECOMENDACIONES PARA EL DINERO Y EL TRABAJO

En China, las personas que apuestan en juegos de azar lo hacen con más frecuencia en su año 3, pues es cuando se atraen las ganancias ocasionales. Es un año de crecimiento y expansión en todo lo que se haga y en todas las áreas de su vida. Es un buen momento para capitalizar, ahorrar, comprar inmuebles, remodelar, vender a muy buen precio, pedir ascensos en el trabajo y aumento de sueldo, presentarle a su jefe esa idea que tenía guardada desde hace tiempo y abrir nuevas sedes; en suma, es un año bueno en todo lo relacionado con asuntos materiales. Cuando las personas me dicen que se quieren independizar, siempre les digo que lo hagan en un año 3. Fuera de que es el año de fertilidad en todo lo que se emprenda, lo que haga nace con mucha fuerza. Es el año de la comunicación, en que todo el mundo se va a dar cuenta de lo que usted está haciendo, por eso es bueno hacer publicidad, tener presencia en redes sociales y páginas web, retomar clientes y recordarles lo que usted hace, y en el trabajo manejar un perfil alto para que se den cuenta del desempeño que usted tiene en la compañía. Si no cuenta con un trabajo fijo este año surgen muy buenas probabilidades de recibir buenas ofertas, y si no está contento con lo que hace puede comenzar a buscar y lograr tener lo que usted desea, como un trabajo bien remunerado que le dé confianza y lo apasione.

En este año obtiene soluciones a problemas que traía pendientes, que se pueden resolver mágicamente o puede aparecer la persona que ayuda a arreglarlos. Lo que usted sembró en año 1 y 2 está listo para ser recogido este año, es la recompensa de los esfuerzos pasados y la paciencia que se tuvo en estos dos años para que las cosas se dieran. El Universo está gestionando muy buenas oportunidades para usted, hágale caso a las señales que le manda, pues este año le ayuda a escoger. Cuando le llegan contratiempos es porque el Universo le está diciendo que donde quiere poner su semilla no es tierra fértil pues no le dejará evolucionar, y si todo le fluye es porque sí es su tierra para sembrar lo que tiene planeado.

RECOMENDACIONES PARA LAS RELACIONES

En este año puede dar inicio a nuevas relaciones de amor y nuevas amistades. Si tiene pareja, se consolida, se puede formalizar la relación y crear un compromiso estable y duradero o proponer matrimonio, pero si contraen matrimonio y no se aman de verdad se divorcian en el año 4. Se puede cambiar de rutina con la pareja, volver a salir a sitios que antes frecuentaban o hacer cosas nuevas para romper la monotonía y que la relación vuelva a tener un aire fresco. Si desea tener hijos este es el mejor de los años para tomar la decisión. En cuanto a la familia, es un año de armonía y unión y de compartir muchos eventos felices. Se activan las invitaciones a fiestas, matrimonios, cumpleaños y bautizos, es una oportunidad para socializar mucho.

RECOMENDACIONES PARA LA SALUD

Es un año muy saludable. Puede tomar tratamientos preventivos como hacer una buena depuración de hígado, tomar vitamina C para elevar las defensas y activar la producción del colágeno, devolver el estado alcalino al cuerpo para que no se incuben bacterias y proteger las vías respiratorias, tomar o aplicar la vitamina B12 para los músculos, ingerir sueros para alimentar el cuerpo con todas las vitaminas, aumentar las horas de sueño, consumir frutas y nutrir la piel con mascarillas antioxidantes o las que contienen mucha agua como la de pepino.

Año personal número 4

Recomendaciones generales

Es el año del orden y la justicia, tanto la celestial como la terrenal. Hay un pasaje de la Biblia en el antiguo testamento que dice: "Cuando Dios creó el mundo el cuarto día todo era un caos, y Dios dijo: 'Esto no puede seguir así, hay que separar el cielo del infierno, la luz de las tinieblas'". En palabras simples, lo que Dios hizo el cuarto día fue crear orden. La frase que usted más va a decir este año es: "Esto no puede seguir así, voy a…".

El orden material es el más fácil: regalar ropa que no se pone, botar papeles, arreglar cajones y closets, etcétera. Pero lo más importante es el orden mental: qué quiere lograr, qué más puede hacer, cómo lo puede conseguir, y qué va a seguir haciendo. Ordenar los pensamientos no es fácil, pero hay que lograrlo porque todo lo que se realice este año es para el futuro. Está entrando a una etapa crucial en su vida, todo define lo que pasará durante los próximos cinco años, incluyendo sus actos, sus pensamientos y sus palabras decretas. Prepárese mentalmente para organizar sus ideas, para retomar lo que ya ha hecho, para darle un nuevo empuje a su vida sentimental, laboral, familiar y económica, para recibir frutos más adelante. Las metas que no germinaron los años anteriores, si quedaron en tierra fértil, este año las puede volver a replantear. Es el año del destino: lo que va a ser para usted se dará, y si no sucede, no se desespere, cuando las cosas no se le dan es porque no son para usted. No insista cuando haya obstáculos en el camino, puede tocar una vez una puerta y hasta dos veces, pero le recomiendo que no lo haga una tercera vez, porque no le conviene, no es su destino y así lo debe entender.

La justicia divina es el Cielo, el Universo, Dios, Jesús, la Virgen María, Buda, los maestros ascendidos, los ángeles, o como lo quiera llamar. Este es el año en que todo lo que usted se merece en su vida, todo con lo que ha soñado, se lo darán por derecho porque le corresponde, por eso las abuelas decían este famoso dicho: "Matrimonio y mortaja del Cielo bajan".

La justicia terrenal es la ley, no la debe infringir este año. Si se pasa un semáforo en rojo le llega la foto multa; esté al día con sus impuestos, haga todo legalmente, nada escondido. Los médicos no deben dejar pasar las autorizaciones del paciente a las cirugías para evitar ser demandados, así como las compañías deben hacer todo legalmente para evitar potenciales litigios. Este año no se puede decir "Qué pereza", por ejemplo "Qué pereza ir al gimnasio", pues le comienza algún dolor que se lo impide hacer, o "Qué pereza ir a trabajar", pues el Universo se encarga de quitarle el trabajo para que pueda seguir haciendo pereza y se queda un año completo sin oportunidades laborales. Cuando conozco una persona que me dice "Ayúdeme, llevo un año sin conseguir trabajo", inmediatamente pienso que acaba de pasar por un año 4 y tuvo que haber dicho "Qué pereza".

RECOMENDACIONES PARA EL DINERO Y EL TRABAJO

Es el año es de trabajar, trabajar y trabajar. El dinero no se triplica porque así como llega se va, los ingresos y egresos serán proporcionales. No va hacer falta plata pero no va a sobrar para ahorrar. Cuando se construye una casa se necesitan cuatro bases sólidas, por eso este año lo que no esté lo suficientemente consolidado se cae, no puede seguir adelante.

Es una etapa agotadora de limitaciones, requiere mucha responsabilidad, no debe negarse al trabajo, pues todos esos esfuerzos serán la base de su prosperidad futura; todo será recompensado. Debe ser moderado en sus gastos, si va a invertir debe estar seguro de que el gasto está dentro del presupuesto para que no se vea corto de dinero y asegúrese de invertir en algo sólido. Este es el año del esfuerzo y mucho trabajo y sacrificio personal. Puede empezar estudios o especializaciones que contribuyan con su realización para cosechar los frutos en el futuro.

RECOMENDACIONES PARA LAS RELACIONES

Si usted está soltero es muy posible que llegue su pareja ideal, tal como lo está pidiendo, porque es su destino conocerla. Es muy importante que cuando visualice esa pareja que tanto quiere, diga "Que me guste la persona que llegue a mi vida", porque puede chequear toda la lista de como lo pidió: trabajador, romántico, fiel, respetuoso, y sin embargo no gustarle la persona que acaba de conocer.

Si usted está comprometido es el año para contraer matrimonio porque es su destino, pero si el matrimonio no está lo suficientemente consolidado con bases sólidas se divorciarán. Si no hizo nada los años anteriores para fomentar las relaciones, este año se podrían ver obstáculos con las personas que están a su alrededor; trate de no crear enemistades con nadie.

Debido al exceso de trabajo puede llegar muy cansado y solo querer dormir, y hasta puede que su actividad sexual se vea muy afectada, pero todo esto es normal por este año.

RECOMENDACIONES PARA LA SALUD

No recomiendo practicarse cirugías estéticas en este año porque su recuperación sería muy lenta o podría tener contratiempos incluso mortales. Si necesita una cirugía de urgencia tenga paciencia para recuperarse y busque medicina alternativa como la homeopática, biológica o acupuntura para tener una mejor recuperación. Cuide su sistema óseo, tome calcio, vitamina D3, reciba la luz del sol, y camine despacio y mirando por donde va, pues cualquier caída puede generar una fractura o luxación. Es bueno hacerse una revisión a la dentadura y cuidar el sistema linfático y glandular.

AÑO PERSONAL NÚMERO 5

RECOMENDACIONES GENERALES

La descripción del año cinco es movimientos, desplazamientos, trayectos largos, mudanzas, viajes, sorpresas, cambios en su vida de 180 grados. Es el año en que todas las metas pequeñas y medianas que se sembraron fluyen y concluyen y comienzan a retoñar otras que se pensaban ya perdidas. Si hizo una buena siembra, recoge muy buenos frutos, de lo contrario tendrá reveses. Es un año de mucho movimiento, de hacer muchas cosas que tenga planeadas, disfrutar de la abundancia que se recibe. Es un buen año para las mudanzas o cambios de decoración en la casa u oficina, también para cambios de estilo personal. Se puede gestionar vivir en otro país pues es el año en que más fácilmente surgen los viajes: se consigue el tiquete más barato o la estadía a mejor precio, así que aproveche para conocer muchos lugares. Si son viajes de trabajo, prepárese, porque le tocaría viajar el doble.

Es un año donde todas las puertas del Cielo están abiertas, por eso no se puede decir "No" de primera palabra, pues se cerrarán las puertas. Por ejemplo: si un amigo le dice que vayan a almorzar, en vez de contestarle que no puede porque está muy ocupado, dígale que va a revisar su agenda y ver cómo puedo organizar, y a los pocos minutos lo llama para confirmarle que definitivamente no puede. O si cuando usted está en el carro y alguien se acerca para limpiarle el vidrio lo primero que dice es que no hasta con el dedo, este año responda que el carro está limpio, o que mañana sí. No significa que usted nunca pueda decir que no, claro que sí puede, pero lo ideal es que no sea lo primero que salga de su boca. Hay personas que me preguntan por qué últimamente no han vuelto a tener un buen grupo de trabajo, o nadie lo volvió a invitar a comer en restaurantes. La explicación es que en el año 5 dijo "No" de primera palabra y cerró estas puertas al servicio y a las invitaciones; decir "Sí" cambia la vida. Debe aprender a adaptarse a los nuevos cambios, no cerrarse a nuevas ideas ni a cosas materiales, tampoco aferrarse a personas; ábrase al cambio.

RECOMENDACIONES PARA EL DINERO Y EL TRABAJO

Llegan oportunidades camufladas que no parece que tuvieran viabilidad. Esté atento para elegir entre las numerosas opciones que se le pueden presentar: se verán ascensos laborales o profesionales, y es un año en que puede hablar con sus superiores sobre un aumento de sueldo. Es bueno que ahorre dinero para los años venideros, así sea poquito. Como dice el refrán, "De grano en grano la gallina llena el buche". Habrá cierre de contratos o de documentos importantes que estaban pendientes, será mucho más fácil solicitar algún tipo de crédito o préstamo, puede cambiar de empleo o recibir una oferta en una compañía para vincularse en el extranjero, y si es dueño de un negocio es el año de tocar puertas fuera del país o de la ciudad que reside, pues tendría mucho éxito. Para los escritores es el momento de publicar sus obras; hacer guiones de televisión y cine les traerá mucha fama este año.

RECOMENDACIONES PARA LAS RELACIONES

Es un año lleno de energía y alegría, un año divertido, excitante, para socializar, volver a compartir con los amigos y entablar nuevas amistades. Sus encantos se van a desarrollar, por eso va a estar atractivo para el sexo opuesto; si antes nadie lo notaba, este año todo el mundo lo mira o lo elogia. Si conoce alguien este año su atracción será meramente sexual, lo cual no significa que la relación no progrese. Este es un año aventurero de cambios de pareja; si es casado cuídese de caer en la infidelidad. Si es un niño el que está pasando por el año

5 es el año del despertar sexual, aconséjelo muy bien y preste vigilancia porque todavía no está en edad de saber o explorar muchas cosas.

Cuídese de chismes, calumnias y mala reputación; no opine cuando no se lo han pedido para que no se vea envuelto en problemas.

RECOMENDACIONES PARA LA SALUD

Lo más importante es que cuide sus nervios y lo que se deriva de ellos. Este es un año muy propenso a los accidentes; conduzca con cuidado y no tome riesgos.

AÑO PERSONAL NÚMERO 6

RECOMENDACIONES GENERALES

Es el año de las dualidades del sí y del no, en que no hay término medio, un periodo para tomar decisiones radicales y una época de fertilidad en todo lo que emprenda. Los años 3 y 6 son los más fértiles para tener hijos o tomar la decisión de no tenerlos. Además es el año normativo y autoritario, se vuelven a crear normas en su vida. Por ejemplo, si en años anteriores se daba una orden y no se cumplía, este año se da la misma orden pero se vigila que se cumpla a cabalidad. Es autoritario porque se ejerce la autoridad en todo, también se concretan y se ponen todas las cosas claras en la familia. Por ejemplo, si había algo que le incomodaba y siempre lo había callado o simplemente tolerado, este año ya dice "No más"; lo importante es que lo sepa decir para no crear conflictos.

Es momento de concretar las metas porque va a estar fértil en todo lo que emprenda. Este año 6 está lleno de satisfacciones por haber cumplido todo a cabalidad, lo cual trae tranquilidad, felicidad y equilibrio en lo emocional, sentimental y familiar; es el momento del regocijo. En este año la energía está en mucho movimiento. Es normal que se presenten dificultades en los viajes, como perder el vuelo, retrasos, perder las conexiones, no conseguir fácilmente el tiquete o que se pierda el equipaje, por eso es esencial contar con un plan alternativo.

RECOMENDACIONES PARA EL DINERO Y EL TRABAJO

El año 6 es de balances. No tendrá apretones de dinero, todo fluirá, ni se pasarán penurias de ninguna especie, tendrá todo lo que pida que sea necesario. Si enfoca muy bien sus metas, puede inyectar capital en la compañía. Puede abrir nuevos negocios o sucursales, iniciar proyectos grandes, dar inicio a una microempresa y proyectar el comienzo de una multinacional. También es un excelente año para invertir en propiedad de finca raíz, y los asuntos legales se pueden resolver favorablemente.

Si no se concretaron sus metas como lo quería, puede ser un año de fracasos en que empiezan a declinar los negocios. Tendrá que sacar fuerzas de donde no las tiene para lograr el equilibrio, tomar las cosas con calma y no desperdiciar el tiempo. Mantenga un gran compromiso con todo, lea muy bien todos los documentos antes de firmarlos, y acuérdese de que es el año de las dualidades, de "Sí" o "No". Otra vez el Universo ayuda a decirle qué es bueno y qué no es bueno para usted, es el último empujón que le da para guiar lo que le conviene. No insista en lo que no se desarrolla con facilidad, porque más adelante vendrán contratiempos. De usted depende si es un año positivo o no.

RECOMENDACIONES PARA LAS RELACIONES

Es el momento de asumir obligaciones y responsabilidades familiares, de darle amor y cariño a la familia. Habrá momentos de mucha unión, aparecen personas nuevamente que hace mucho tiempo había dejado de ver, se recuperan relaciones perdidas. Su hogar nuevamente va a ser el centro de reuniones para compartir con risas y mucho diálogo. Es momento de enfrentar las discrepancias, poner en su sitio a alguien que abusa de usted, decir palabras que nunca se había atrevido a hablar. Cuando hay maltrato físico o mental por parte de la pareja es el año para decirle que no más. Tenga cuidado, pues hay familiares que lo pueden llevar a la ruina porque son ventajosos, y se pueden generar rupturas o distanciamientos, pues todo es una dualidad de amores u odios.

Se debe colaborar con la comunidad y con las personas menos favorecidas. Muéstrese generoso, compasivo, sea desinteresado, pues es momento de dar para recibir en el futuro. La felicidad y el éxito llegan si usted sabe manejar su ego y deja el egoísmo a un lado. Si decide casarse este año será una unión duradera o para siempre, aunque también es momento de la dualidad de casado o divorciado, de noviazgo o ruptura; si la persona con la que está no le conviene todo se acaba, el Cielo le da la oportunidad de mostrarle lo que pasa para que tome la decisión, aunque usted elige si continúa como está o termina.

RECOMENDACIONES PARA LA SALUD

Es el momento en que puede desarrollar una enfermedad crónica que requiera tratamientos largos y mucho cuidado, también puede dispararse la presión alta. Si desea hacerse una intervención quirúrgica estética es un buen año para hacerlo. Como está creando nuevas normas en su vida, puede comenzar nuevas rutinas de ejercicio, de buena alimentación y de responsabilidad con su salud.

AÑO PERSONAL NÚMERO 7

RECOMENDACIONES GENERALES

Es el año del equilibrio, en la Cábala representa "la ley divina que rige el Universo": son 7 días de la semana, 7 fases lunares, 7 colores del arco iris, el sermón de las 7 palabras, 7 maravillas del mundo, la danza de los 7 velos, los 7 planetas mayores que influyen sobre la tierra, los 7 chacras, los 7 enanitos de Blanca Nieves, los 7 pecados capitales. Cuando Dios creó el mundo el séptimo día descansó, por eso este es el año de la paciencia, todo va estar listo el día que es y a la hora que es, no antes. Puede coordinar sus proyectos, ejecutar y soltar; no se afane ni se estrese.

Es un año de evolución espiritual, un año para meditar, orar, buscar paz interior, retomar lecturas, investigar, estudiar, tomar cursos, enriquecer el conocimiento, etcétera. Es el año de la inteligencia y de estar consigo mismo; lo llamo "el año del yo", porque es un momento para pensar si todo lo que ha hecho es suficiente, si hizo grandes esfuerzos para tener las cosas deseadas, o si ha sido inútil lo que hasta ahora ha logrado. Es una evaluación importante porque el buen sembrador comienza a recoger sus frutos y recibe reconocimiento por los esfuerzos hechos, mientras que el mal sembrador pasa por un año muy duro, sin recompensas ni oportunidades porque no las ve, vive lleno de dudas, tristezas, desespero y fracasos, y todo transcurre con lentitud.

Este año 7 representa la llegada del otoño, cuando las hojas se desprenden para dar oportunidad a que lleguen las nuevas. Es muy bueno este año soltar muchas cosas, como pensamientos errados o negativos, relaciones malsanas, zonas de confort, rutinas, situaciones que no van para ninguna parte o una decisión que se está aplazando desde hace tiempo. Este año el Universo le dice "Ya no más, o decide o decide", pero término medio no le da. Son tan perfectos los tiempos que todo se lo muestran, llegan a sus oídos las señales, así que tiene que estar pendiente de cuál es el mensaje, porque si se vuelve reacio al cambio se puede fracturar, tener un esguince o una virosis; cuando no quiere ver las cosas le puede dar un orzuelo o conjuntivitis; cuando no quiere oír le puede dar una otitis, o cuando no quiere hablar le puede dar amigdalitis, faringitis o cualquiera de las enfermedades terminadas en "itis". Esto sucede para que lo incapaciten varios días en su casa y tenga el tiempo suficiente para pensar y escuchar su voz interior y su intuición.

RECOMENDACIONES PARA EL DINERO Y EL TRABAJO

Es un año de reconocimiento profesional por esfuerzo hecho, se realza el prestigio profesional, debe afianzar todo lo que está haciendo. No es un buen año para tomar riesgos con negocios nuevos ni expandirse, no debe presionar ninguna situación. Lo que no sirva déjelo ir, la palabra clave es "soltar". Es bueno iniciar estudios, lecturas, investigaciones, diplomados, maestrías o tomar cursos de lo que le guste.

RECOMENDACIONES PARA LAS RELACIONES

Como es un año para reflexionar, lo llevará a aislarse de los demás, a buscar la soledad para poder pensar y estar consigo mismo, por eso es el "año del Yo". Es un periodo de análisis profundo en que puede volverse muy reflexivo sobre lo que ha hecho en todos estos años y para qué le ha servido. Si está casado querrá momentos de estar solo, de hablar poco y pedir silencio; si es soltero no tendrá una pareja estable o no se le acercará nadie, solo las relaciones a distancia prosperan. También es el año de la fama y el reconocimiento, es el cuarto de hora de prestigio social, así que hágalo todo bien.

RECOMENDACIONES PARA LA SALUD

Cuide sus emociones porque las sentirá todas. Estará de muy mal genio, irritable, irascible, aburrido, triste sin razón alguna, llorón. No se deje desbalancear, puede llegar a una depresión y debe pedir ayuda en el caso de sentirla. Notará mucho cansancio extremo, procure descansar cada vez que el cuerpo se lo pida.

Año personal número 8

Recomendaciones generales

Es el año en que llega el cheque con muchos ceros, puede ser representado de muchas formas, es cuando el Universo los recompensa por los esfuerzos hechos. Si sembró los años anteriores con buenas cosas las recoge todas. Este es el año del agradecimiento; entre más agradezca, mayores cosas obtiene. Hay que agradecer antes de poner un pie fuera de la cama: agradecer porque amaneció, porque está cantando un pájaro, por los hijos, por la familia, por las personas que lo ayudan y colaboran, por el empleo, por los compañeros de trabajo, por el jefe, por la empresa, por el dinero que recibe que le da bienestar, por su buena salud, por las funciones de su cuerpo —porque puede ver, caminar, hacer sus necesidades fisiológicas, lo cual quiere decir que está sano—. Agradecer por la inteligencia para poder tomar buenas decisiones, por los profesores, y también agradecer por anticipado, por ejemplo: "Gracias, Dios o Universo (como usted esté acostumbrado a agradecer), porque hoy no tuve una buena venta pero sé que mañana la voy a tener, gracias porque hoy no tengo un buen empleo pero sé que voy a conseguir el mejor y bien remunerado", y siempre agradecer por todos los detalles mínimos de la vida.

Otra actitud importante este año es el respeto a la madre, porque ella es la que nos conecta con la prosperidad del dinero.

Debe tener mucho cuidado de cómo le responde a su mamá; ella le dirá cosas que le molestan, tendrá actitudes que usted no tolera, y el Universo va a estar pendiente de si usted le responde mal, agresivamente o refunfuñando, para restarle los premios que tiene guardados para usted.

Si usted no ha sembrado sino vientos, solo recibe tempestades; lo que le han dado y no ha valorado se lo quitan, lo dejan sin nada. Es como cuando uno le regala algo a un hijo y ni lo voltea a mirar, qué le dice uno: "Dámelo y yo se lo regalo a otra persona que sí lo valore". Eso mismo dice el papá Universo: "¡Ah! no agradece, se lo voy a dar a otra persona que sí lo agradezca". Hay una frase que dice: "Qué tal que mañana amaneciera con solo lo que agradeció el día de ayer". Es un año de lecciones de vida: aprenda a valorar lo que tiene. El destino lo enfrenta a las consecuencias de actos pasados; si usted recapacita de las cosas que no hizo bien le comienzan a devolver con gratificaciones. Cuando conozco personas que me dicen: "Este año lo perdí todo, perdí salud, perdí el trabajo, perdí dinero, perdí mi familia", ya sé que acaba de pasar por un año ocho.

RECOMENDACIONES PARA EL DINERO Y EL TRABAJO

Es un ciclo para invertir, pues es un periodo de prosperidad, abundancia y riqueza. Es un año dinámico y materialista, los negocios prosperan, aumentan las ganancias, puede abrir sucursales o mejorar las existentes y activar contactos importantes para el futuro. No haga nuevos negocios si no les ve unas buenas bases sólidas; se presentan oportunidades para cambiar de trabajo, recibe propuestas tentadoras, puede obtener ascensos y mejoras salariales. Es un buen tiempo para vender, comprar carro e inmuebles, viajar, cobrar dinero, pagar las deudas. Puede recibir una herencia o ganancias inesperadas. Debe compartir la prosperidad con las personas que lo rodean, sea generoso, sobre todo con el alimento. El Universo le paga un cheque por todas las cosas buenas que ha hecho y ha agradecido años atrás, pero si deja pasar oportunidades por pereza, por irresponsable, o por no agradecer lo que tiene atraerá pérdidas económicas, descenso laboral o en los negocios, atraso en los viajes, despidos laborales y negación de visas.

RECOMENDACIONES PARA LAS RELACIONES

Si este año se casa, es porque le correspondía. Recibe el premio de una muy buena pareja, la persona con la que siempre soñó tener un hogar. Este año trae armonía familiar, acontecimientos felices, buenos amigos y personas poderosas que le ayudan y le colaboran. Sin embargo, si no ha sido agradecido se presentarán cambios adversos, malas relaciones, se verán conflictos con todas las personas que lo rodean, y hasta divorcio.

RECOMENDACIONES PARA LA SALUD

Cuide su alimentación, haga largas caminatas o ejercicio de cardio, manténgase activo, consulte a su médico para saber que todo está en orden.

AÑO PERSONAL NÚMERO 9

RECOMENDACIONES GENERALES

El nueve es el último de los números, por eso es el año de cerrar ciclos, liberar karmas (*karma* significa acción y reacción, causa y efecto). También este año se pueden borrar karmas de familia, por eso es bueno analizar la familia de su papá y la de su mamá, para saber que no quiere vivir situaciones repetitivas de la familia como separaciones, ruinas, enfermedades, pobreza, conformismo, abandono, soltería, maltrato, etcétera; todo depende de lo que usted analice.

Cuando está en año 9 es cuando está más cerca a Dios, por eso es más fácil ser premiado y obtener todo lo que sueña, pero también es el año cuando le preguntan: "¿Aprendió?". Si la respuesta es sí, tendrá una gratificación de vida, pero si no ha querido aprender, repetirá las mismas situaciones difíciles. Por eso son años en que la gente dice que le pasó de todo, y otras comentan que siempre les pasa lo mismo. Quiere decir que no han querido recibir la lección, y por eso la misma situación les sigue sucediendo una y otra vez. Para muchas personas es un año doloroso, lleno de dificultades, pérdidas, fracasos y pruebas duras. Hay que prepararse anímica y mentalmente para poder superar las dificultades y no entrar en depresiones. En este periodo se califica la paciencia, la tolerancia, la humildad, la vanidad, la perseverancia, la determinación, etcétera. ¡Son tantas cosas las que se pueden calificar que debe estar atento y no preguntarse por qué sucedieron las cosas sino para qué sucedieron; es la forma para entender y aprender y no cometer los mismos errores. Para otras personas es un año que trae muchos éxitos, cuando logran alcanzar las metas, hacer los viajes que siempre han soñado o comprar la casa de sus sueños. Es un año lleno de oportunidades, pero sus vivencias dependen de su aprendizaje.

Ritual para borrar karmas propios y de familia

Le recomiendo una limpieza con sal y café para purificar la energía y borrar karma, pues la sal es la purificadora de los océanos. Puede hacerse este baño cuantas veces sea necesario.

En un recipiente de vidrio, sin agua, mezcle seis cucharadas de sal marina y dos de café molido. Después de bañarse normalmente, frote con suavidad la combinación en el cuerpo húmedo desde el cuello hacia abajo. Aplíquese la mezcla muy bien en la planta de los pies, como si se estuviese exfoliando, y diga: "Estoy erradicando Karmas míos o de familia que se están interponiendo en…" y diga lo que usted quiere conseguir que siente que no ha logrado debido a un karma familiar. Por ejemplo, puede decir que está erradicando karmas de su familia que se están interponiendo en que usted sea una persona próspera con abundancia de dinero, pues a veces incluso se vive en una muy buena casa o se tiene un buen carro, pero no hay efectivo en el banco. Este es un ritual para erradicar enfermedades, soledad, tristeza, abandono, pobreza, improductividad, envidias, ruina, vicios, problemas económicas, así como palabras ofensivas dirigidas hacia usted que estén registradas en el Universo. Siga diciendo todo lo que usted quiera borrar de su vida. Para finalizar, enjuáguese con abundante agua pero sin jabón.

Se pueden amortiguar los karmas en este cierre de ciclo con donaciones de alimentos perecederos como frutas, lácteos, huevos o pan a un grupo grande de personas, como fundaciones sin ánimo de lucro o escuelas, hogares de paso, o fundaciones de animales. Quien va a retribuir la donación no son las personas sino el Universo y esto hace que las cuentas pendientes sean más suaves. Se dice que el año 9 es el más largo, pero es porque lo que no logra cerrar en este año lo sigue trabajando en el año 1.

RECOMENDACIONES PARA EL DINERO Y EL TRABAJO

En este año no es bueno renunciar a su trabajo, pues corre el riesgo de quedar desempleado todo un año. No monte negocios nuevos diferentes a lo que usted haga. Por ejemplo, si usted tiene un restaurante y le ofrecen ser socio de un almacén de telas, no acepte, pues sería un negocio efímero. Cuide la actividad que usted ya hace, enriquézcala para que crezca y se expanda; puede abrir nuevas sucursales, siempre y cuando sea de la misma industria. Si trabaja en una empresa, debe brillar con luz propia para obtener reconocimientos.

Recomendaciones para las relaciones

No se debe aferrar a nada ni a nadie, deje ir a todas las personas que se vayan de su vida este año 9, pues se van porque ya cumplieron un ciclo en su vida o porque no le convienen, así que no las ataje. No es un buen año para casarse, porque su matrimonio sería efímero, lo mismo si inicia una nueva relación de amor, solo sería para un aprendizaje y se terminaría pronto. Aunque toda regla tiene su excepción, conozco muy pocas personas a las que les haya durado una relación en año 9, y muchas veces son relaciones tormentosas que perduran para seguir aprendiendo.

Recomendaciones para la salud

Debe cuidar mucho su salud; vaya a todos los controles médicos, pues los problemas detectados a tiempo tienen solución. Puede someterse a cirugías de urgencia por su salud, pero no es aconsejable que se practique cirugías estéticas, porque este año 9 se califica la vanidad, y si no está conforme con lo que tiene puede quedar peor.

Feng Shui de estrellas volantes anuales

Las estrellas volantes o Xuan Kong Feng Shui es una de las disciplinas de integración de los principios del yin y el yang. Hay una dimensión del tiempo que nunca permanece estática, son energías muy potentes que no se pueden ignorar. En la antigüedad esto era un gran secreto que solo conocían los grandes maestros del Feng Shui, quienes daban información de qué hacer, pero no explicaban por qué hacerlo.

Los números de Lo Shu, o cuadro mágico, nos brindan una buena información anual de dónde están ubicadas las mejores energías para potencializarlas, y dónde están las energías menos propicias para mitigarlas y evitar enfermedades, accidentes, robos o pérdidas económicas, demandas, pleitos, habladurías y peleas. Nos dan información sobre dónde no se puede prender fuego como velas o varas de incienso, dónde no se puede ubicar agua como jarrones con flores, fuentes, acuarios o plantas sembradas en agua en todo el año. En el Feng Shui las energías se trasladan cada año, rotando según cada uno de los puntos cardinales. Estos periodos de estrellas volantes anuales se mueven de acuerdo al calendario solar, también conocido como calendario Hsia, que se utiliza para medir el momento en que comienzan: el 4 de febrero de cada año. Esta fecha es independiente del fin de año chino, que se mide según el calendario lunar y cambia de día todos los años entre enero y febrero.

Así como hay estrellas (energías) que nos aportan bienestar, también hay estrellas que atraen situaciones negativas. Por esto ningún año es semejante para nuestras oportunidades, relaciones personales o comerciales, y para la salud de los habitantes del lugar; todos estos movimientos energéticos afectan nuestro cotidiano vivir. Estas estrellas (cúmulo de energía) son fuerzas intangibles, ni se ven ni se pueden tocar, pero hacen mucho daño al sector que ocupan. Todo lo anterior tiene incumbencia con el orden, la armonía del Cielo y la Tierra y con la manera como la humanidad puede mantener intacto el equilibrio de la naturaleza. Si se corrigen las estrellas negativas y todas las aflicciones del año se le dará entrada a la energía positiva de la casa u oficina.

CÓMO CALCULAR LOS PUNTOS CARDINALES DE UN ESPACIO[1]

Para determinar los puntos cardinales, se realiza la medición con una brújula dentro de su sitio de vivienda o trabajo.

---

1   Fragmento tomado del libro *Feng Shui para vivir mejor*, Claudia E. Roldán, Grijalbo, 2015.

Párese en la mitad del lugar para que pueda identificar cada área y proteger lo que usted necesite. Calcule siempre las direcciones sosteniendo la brújula horizontalmente, completamente plana, en la palma de su mano, para asegurar una lectura precisa. No debe tener puesto ningún objeto de metal como anillos, relojes, pulseras, etcétera, ni estar cerca de aparatos electrónicos como el televisor o el computador, pues se generan distorsiones en las medidas de la brújula y no sería una medición exacta. La brújula occidental siempre marca el Norte magnético, que es el mismo en todo el planeta y no varía en ningún país, pues el magnetismo es igual en todos los rincones del mundo.

- Primer paso: con la brújula en la mano, párese en la mitad del lugar mirando hacia la puerta de forma paralela a una de las paredes y alineado con la construcción del sitio. Realice la medición y tome las direcciones varias veces para que esté completamente seguro de la exactitud de los datos.

- Segundo paso: para situar estas direcciones, en el Feng Shui se ha creado la cuadrícula Lo Shu, que es una rejilla de nueve cuadros y sirve para sobreponer el plano del lugar a analizar de acuerdo con los puntos cardinales.

Con ayuda de esta herramienta, se puede saber en dónde está ubicada la sala, si en el Sur o en el Norte; si el comedor está en el Este o en el Noroeste; en dónde están las habitaciones, la cocina, los baños, etcétera, o conocer la distribución de las oficinas.

- Tercer paso: haga un plano del lugar a analizar y revise que los espacios estén muy bien distribuidos. Si es una casa con varios niveles, se hace un plano separado para cada uno de los pisos. Si no tiene forma de tener el plano original de la edificación, no importa que sea hecho a mano alzada.

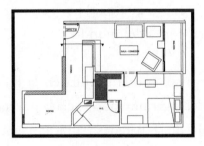

- Cuarto paso: sobreponga el cuadro Lo Shu en el plano. Alinéelo desde el inicio de la construcción (donde está ubicada la puerta) hasta el fondo de la edificación (donde termina el techo). La cuadrícula se debe ajustar a la forma del lugar; se puede prolongar en forma rectangular o cuadrada para adaptarse al plano. Si es una casa, el antejardín y el jardín posterior se toman como prolongación del punto cardinal. Se dará cuenta de que hay muchos lugares que son irregulares en su forma de construcción o a los que les hacen falta espacios. A estos en el Feng Shui se les llama faltantes. Lo ideal es que el lugar sea totalmente cuadro o rectangular. Esto le servirá de plantilla.

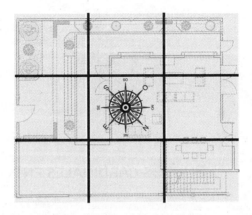

- Quinto paso: identifique cada sitio y qué punto cardinal le corresponde para poder empezar a armonizar o curar.

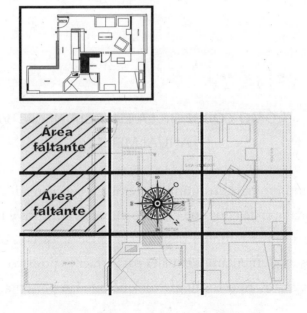

PUNTOS CARDINALES EN CRUZ +

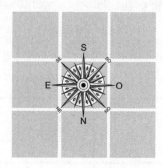

PUNTOS CARDINALES EN X

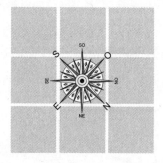

CÓMO CORREGIR LA ENERGÍA NEGATIVA ANUALMENTE

En numerología, los números también son llamados estrellas. Y cada uno de ellos trae consigo energías positivas y negativas. Estas últimas también deben corregirse y así como muchas veces implementamos rituales para atraer lo positivo, debemos corregir los aspectos negativos que puedan presentarse.

LA ESTRELLA 2 NEGRA

Este número activa las enfermedades como virus, influenza, problemas del sistema inmunológico, bacterias o dolores en cualquier parte del cuerpo sin explicación alguna. Todos los ocupantes de la casa pueden ser afectados, pero los más vulnerables son los niños y las personas de tercera edad, sobre todo cuando les queda esa energía en la habitación. Es muy importante no prender ni tener velas ni varitas de incienso en este sector, y evitar los colores rojos. Para apaciguar la mala energía ubicar tres calabazos dobles llamados **Wu Lou** y decorar con mucho elemento metal.

Año lunar	Sector de la estrella 2
2017	Noroeste
2018	Oeste
2019	Noreste
2020	Sur
2021	Norte
2022	Suroeste
2023	Este
2024	Sureste

Punto cardinal de la estrella 2 negra según el año

LA ESTRELLA 3 PELEONA

La energía de la estrella 3 peleona es hostil. Se caracteriza por atraer malos entendidos que se pueden volver batallas campales, ataques verbales e irritabilidad. Se presentan problemas legales, disputas o demandas, y se activan chismes y calumnias, además de traer problemas con las autoridades. En el sector donde ella se encuentra cada año no se puede colocar elemento agua como flores frescas, plantas sembradas en agua, fuentes o acuarios.

Año lunar	Sector de la 3
2017	Oeste
2018	Noreste
2019	Sur
2020	Norte
2021	Suroeste
2022	Este
2023	Sureste
2024	Centro

Punto cardinal de la estrella 3 peleona según el año

LA ESTRELLA NEFASTA 5 AMARILLA WU WANG

Es considerada la energía más peligrosa del año. Trae pérdidas económicas, infortunios, accidentes y enfermedades graves. Durante su estancia temporal, ocupa 45 grados de la brújula en el punto cardinal anual donde llega. Allí no se deben hacer remodelaciones ni empezar ni finalizar una obra. En las casas no se deben tener ni prender velas ni varitas de incienso, tampoco pebeteros de velas, pero sí puede tener aparatos eléctricos. Si la puerta está ubicada en este sector afligido, protéjalo colgando un móvil de seis tubos de metal o coloque seis monedas chinas detrás de la puerta para proteger a todos los miembros de la familia. Consiga un recipiente de vidrio, como una pecera redonda, agréguele agua hasta la mitad, cuatro cucharadas de sal marina y seis monedas de color dorado de baja denominación o monedas chinas. Mantenga las monedas todo el año sin cambiarlas, así se mohoseen, y cambie el agua con la sal cada mes, a no ser que la sal se salga del recipiente o el agua se consuma; si es así, cámbiela de inmediato.

Año lunar	Sector de la 5
2017	Sur
2018	Norte
2019	Suroeste
2020	Este
2021	Sureste
2022	Centro
2023	Noroeste
2024	Oeste

Punto cardinal de la estrella nefasta 5 según el año

LA ESTRELLA 7 VIOLENTA

Esta energía atrae personas malpensadas, malintencionadas, deshonestas y ventajosas y envidiosas. Activa gente tramposa, estafadora, así como pérdidas violentas de dinero y de reputación, y mala competencia laboral. Si la puerta principal de la entrada a su hogar u oficina queda ubicada hacia la dirección donde se encuentra la 7 anual, protéjala muy bien, pues es vulnerable a ser violentada. El rinoceronte y el elefante son animales muy tranquilos hasta que se meten con su manada, por eso son utilizados como protectores en el Feng Shui. Se pueden ubicar en el punto cardinal afligido para alejar esas personas mal pensadas y mal intencionadas, y si le gustan las imágenes sagradas también puede poner la imagen del arcángel San Miguel.

Año lunar	Sector de la 7
2017	Suroeste
2018	Este
2019	Sureste
2020	Centro
2021	Noroeste
2022	Oeste
2023	Noreste
2024	Sur

Punto cardinal de la estrella 7 violenta según el año

EL GRAN DUQUE JÚPITER TAI TSUI

El Gran Duque Júpiter se conoce como Tai Sui, su punto cardinal cambia cada año de acuerdo a la casa del animal del zodiaco chino que rige anualmente y solo ocupa 15 grados de la brújula. Lo que se debe hacer para manejar esta energía es no sentarse enfrentando al punto cardinal que le corresponde, es decir que su nariz no apunte a esta dirección cuando trabaja, come o hace una actividad de rutina. Por ejemplo en el 2018, el año del perro, el Gran Duque se encuentra en el punto cardinal Noroeste de la casa u oficina, así que no se siente mirando para este sector. Siempre hay que tener al Gran Duque Júpiter cuidando su espalda, incluso si este es un sector benéfico para usted por número Kua.

Minimice los ruidos, no encienda su equipo de sonido a todo volumen, evite los instrumentos musicales como la batería en este sector. No se debe empezar ni terminar obra por este sector, que siempre se trabaje en el intermedio. Para protección ubique un **piyao,** que es el último de los dragones, para evitar malas rachas y malas situaciones.

Piyao

Año lunar	Animal	Gran Duque Júpiter
2017	Gallo	Oeste
2018	Perro	Noroeste
2019	Cerdo	Noroeste
2020	Rata	Norte
2021	Buey	Noreste
2022	Tigre	Noreste
2023	Conejo	Este
2024	Dragón	Sureste

Punto cardinal del Gran Duque Júpiter Tai Tsui según el año

LAS TRES MUERTES SAAM SAAT

Las Tres Muertes siempre ocupan solo los puntos cardinales principales como el Norte, Sur, Este, Oeste. Por lo tanto, es una energía que se mueve de a 90 grados de la brújula y su energía anual se mueve de derecha a izquierda. Se dice que las Tres Muertes traen desgracias asociadas a las pérdidas: pérdida de trabajo, pérdida de dinero, pérdida del buen nombre, pérdida de la salud, pérdida de un gran amor o de una amistad. No se debe empezar ni finalizar obras por este sector, tampoco se le puede dar la espalda porque es como pedir que le den una puñalada por la espalda, que lo traicionen.

Por ejemplo, en el 2018 las Tres Muertes están al Norte, así que no debe sentarse mirando al Sur para hacer cualquier actividad como trabajar, comer, negociar, hablar por teléfono. Para apaciguar esta energía se debe situar la figura de los tres guardianes, que son un **perro Fu,** un chilin, y un piyao; también se pueden poner tres chilines, o un buda sonriente, que tiene el poder de contrarrestar esta mala energía y transformarla.

Otra forma de transformar la energía es usar una cura yang, que significa cura fuerte. Consiga un recipiente de metal, agregue agua hasta la mitad y deposite dentro del agua tres piedras semipreciosas: una de color amarillo, otra de color azul y la tercera de color verde. Por último, ponga una vela flotante y enciéndala preferiblemente un rato todos los días, o si no tres veces a la semana. Esta cura se debe hacer durante todo el año en curso, pues la energía de los cinco elementos debilita a las tres muertes.

Año lunar	Tres Muertes
2017	Este
2018	Norte
2019	Oeste
2020	Sur
2021	Este
2022	Norte
2023	Oeste
2024	Sur

Punto cardinal de las Tres Muertes según el año

Ofrenda a la Madre Tierra

Si debe hacer una reforma o iniciar la construcción de la casa, debe realizar la ofrenda descrita a continuación antes de empezar la obra para apaciguar las tres aflicciones, que son la 5 amarilla, el Gran Duque Júpiter y las Tres Muertes.

Con anticipación se le dice al maestro encargado que llegue con cualquier herramienta de una obra como pala, martillo, taladro o sierra. Para el ritual debe conseguir:

- Tres copas de vino tinto o rosado.
- La fruta de su elección. Sugiero fresas, granadillas o manzanas.
- Medio pocillo de arroz crudo o de galletas.

Para empezar, ubíquese en una parte del lote que tenga buena panorámica de todo el lugar, o si va a hacer una reforma dígale al maestro que actúe como si ya fuera a iniciar la obra, y mientras tanto diga en voz alta:"Vamos a iniciar la obra o la reforma de esta casa para que sea próspera, con mucha abundancia, armonía y buena salud, y que no quede en ella ninguna energía negativa que interfiera en estos propósitos". Deje las frutas, el vino y el arroz crudo o las galletas durante dos horas en cualquier espacio del lugar y después tire a la tierra el vino y el arroz crudo o las galletas, ya sea en el jardín de la casa o en un parque. No debe consumir el vino ni el arroz, solo las frutas junto con las personas que lo acompañan. Al finalizar la obra o la remodelación, puede llevar alimento para compartir con los obreros y así hacer un sellamiento a la energía para atraer mucha prosperidad.

ACTIVACIONES GENERALES DEL FENG SHUI

ANTES DE HACER UNA NUEVA ACTIVACIÓN

Después de haber pasado un año debe desechar los objetos del Feng Shui que había situado en la casa, ya sea para proteger o para activar. Cuando están deteriorados o quebrados es porque han recibido toda la energía nociva, sobre todo si ha sido un mal año.

En el solsticio de invierno, que se celebra el 21 de diciembre, los chinos acostumbran recoger todos estos objetos, revisarlos, y con los que se encuentran en mal estado hacen una quema para que el fuego aleje todo lo negativo, echándole un poco de alcohol industrial así no se derritan, luego los depositan en una bolsa y los tiran a la basura. Esta es una excelente forma de desechar todas las situaciones negativas que le sucedieron en el año, y permite que usted y su hogar estén listos para un nuevo comienzo.

Es bueno utilizar incienso que sea de gusto para purificar el espacio de la vivienda, negocio u oficina. Párese en la puerta principal mirando hacia adentro y empiece a caminar como las manecillas del reloj, de izquierda a derecha, por las habitaciones, la sala, el comedor, el estudio, la zona de ropa, el patio, exceptuando los baños. Al hacer este sahumerio estará preparando el sitio de vivienda, oficina o negocio para recibir la nueva energía del año.

PRÁCTICAS EN EL FENG SHUI

En la práctica del Feng Shui siempre debe estar alerta a los mensajes simbólicos inadvertidos que emiten los objetos decorativos de la casa y oficina. Las pinturas y obras de arte que se cuelgan en las paredes, como cuadros de personas solas, no son buenos cuando en la casa hay personas sin pareja, porque les daría mucha dificultad conseguirla; figuras humanas sin cabeza hacen que no se tenga claridad mental para tomar buenas decisiones; cuadros de viejitos muecos y mal vestidos atraen la pobreza; los payasos atraen tristeza y soledad, pues casi nunca se ven en pareja; paisajes con árboles sin hojas y caminos solitarios sin flores o con mucha nieve atraen depresiones. Escoja fotografías en que se vean felices, si le dan regalos que no son de su agrado es mejor desecharlos, las herencias de familia como armarios, mesas, cuadros, objetos decorativos o vajillas que se reciben por que sí, mas no porque le gustan, es mejor rechazarlos diciendo "No, gracias, no tengo donde ponerlos", que llevárselos a su casa y sentirse incómodo. Su sitio de trabajo y su vivienda siempre deben estar a su entero gusto.

Muchas personas acostumbran hacer cambios en la acomodación de los muebles de la sala o habitaciones. Compran nueva decoración a veces por un impulso, porque les pareció bonita mas no porque la necesitan, y ponen todas esas cosas sin prestar atención al efecto que ejercen sobre la energía de sus hogares o del sitio de trabajo. Cuando viajan compran los famosos recuerdos de cada ciudad que visitan y los suman a la colección de objetos, muchas veces diminutos, que ni aprecian. Así van llenado vitrinas y repisas enteras, sin siquiera mirar si encajan o no en su decoración, pero los tienen porque en cierto momento les gustaron demasiado. Al cabo de los años van perdiendo el interés y se vuelven acumuladores de polvo, lo cual no es bueno porque estanca la energía.

Los objetos decorativos algunas veces tienen un significado claro y definido, pero otras veces puede ser muy sutil. Por eso es bueno conocer los significados simbólicos de los objetos e imágenes. Con frecuencia son máscaras que utilizaban los brujos, esculturas de gente mutilada, caras de tristeza, cuadros sombríos o sangre derramada, animales muertos, o significados de otros países cuya historia desconocemos. Estos objetos nos están enviando un mensaje tácito que de no acatarlo puede afectar negativamente nuestro bienestar.

El principal objetivo de un buen Feng Shui es armonizar los espacios, hacer nuestra vida agradable, hacernos sentir dinámicos, triunfadores, permitirnos gozar de buena salud y mantener una actitud positiva y acogedora. Lo más importante es que todo lo que esté en nuestro entorno nos guste y vibremos con lo que vemos a nuestro alrededor.

Recomendaciones para tener en cuenta antes de una mudanza

Mudarse de casa u oficina significa un nuevo comienzo y siempre debe hacerlo teniendo en cuenta los principios del Feng Shui. Si se muda a un sitio que ya había sido habitado, lo ideal es limpiar todo el espacio de las energías de los anteriores residentes con un buen sahumerio de su preferencia o varitas de incienso, especialmente en los sitios donde hubo una decepción amorosa, una pérdida económica, muchas discusiones o una enfermedad (sobre todo si era terminal o mental). Si se va a mudar a una nueva casa, puede hacer el sahumerio para desalojar energías de las personas que transitaron por el lugar. También debe hacer uso del Feng Shui para estar seguro de que disfrutará de una convivencia armoniosa, próspera y favorable, y para que todos los espacios tengan su elemento y color correspondiente al punto cardinal.

Antes de iniciar este proceso tenga en cuenta las siguientes recomendaciones:

El día de la mudanza debe ser estrictamente reservado para los miembros de la familia, para impregnar la nueva energía en su nuevo hogar. No es un buen día para invitar amigos, a no ser que sean los amigos del alma, aquellos que parece que fueran de la familia.

Antes de entrar al lugar cualquier caja u objeto, debe primero entrar el alimento para que no falte nunca, así sea una libra de arroz o una bolsa de pan, o mejor el mercado completo.

Este día debe compartir alimento junto con las personas que contrata para la mudanza y no debe faltar algo de dulce, como un postre, para simbolizar que hay fraternidad, amor y felicidad.

En dialecto hokkien chino el nombre de la piña se pronuncia "ong lai", que suena igual a "dar la bienvenida a la prosperidad". Compre una piña y desde la puerta principal hacia adentro ruédela por todo el lugar evitando los baños. Al rodar la piña se está dando la bienvenida a la prosperidad, abundancia y felicidad al nuevo hogar y a los integrantes de la familia. Luego puede consumir la piña cuando quiera.

No entre a la casa con las manos vacías; cada miembro de la familia deberá entrar con algo auspicioso en sus manos, como por ejemplo frutas frescas como naranjas (para la prosperidad), piñas (para la buena fortuna) o peras (para la buena salud). También puede llenar una canasta de frutas para activar la abundancia y la prosperidad con:

- Cinco naranjas.
- Cinco manzanas rojas.
- Cinco frutas con semillas como granadilla, kiwi, pitaya, guanábana, fresa o uchuva.
- Un manojo de bananos que no sumen cuatro.
- Una piña.
- Un par de velas de color amarillo o varitas de incienso de su preferencia.

En una canasta o frutero debe organizar todas las frutas, aparte en un plato encienda las velas o el incienso. Ingrese por la puerta principal sosteniendo la canasta y mientras otra persona sostiene las velas o el incienso, con la intención de invitar la abundancia y la prosperidad al nuevo hogar y a todos sus ocupantes. Deje todo en la cocina o la sala, y luego puede consumir las frutas en cualquier momento.

También puede entrar con algo dorado de valor como sus joyas, su libreta de cuenta de ahorros, la tarjeta débito o un tazón lleno de monedas, cuyo significado es buena fortuna para que el dinero entre al hogar, se quede y rinda.

No debe llevar la escoba y el trapeador que utilizaba en su antigua casa. Compre escobas y traperos nuevos, para no "arrastrar consigo sus viejos problemas".

Todo lo que diga durante el día de la mudanza debe ser auspicioso de muchos proyectos y debe pensar positivamente; evite los temas negativos o dolorosos.

No discuta, no pelee, no reproche a los niños, no se altere o llore el día de la mudanza, puesto que todas estas acciones simbolizan infelicidad y falta de armonía en el hogar.

Abra los dispositivos de agua para borrar registros de energías anteriores, vacíe los baños, prenda el gas o la estufa eléctrica, encienda todos los bombillos para anunciar que su nuevo hogar está bien preparado y que todo está funcionando perfectamente.

El día de la mudanza no tome una siesta en las horas de la tarde en su nuevo hogar, por muy cansado que se sienta; esto significa enfermedad y pereza.

Feng Shui en el hogar

Cómo activar el frente de su casa

La dirección del frente representa el sitio más auspicioso en su casa. Para saber cuál es el frente, párese mirando la puerta principal con una brújula, de adentro hacia fuera, es decir mirando hacia la calle, o si vive en un apartamento mirando al pasillo de entrada, y note el punto cardinal del frente de la puerta. Cuando ya haya identificado cuál es el frente de la vivienda para potencializarlo, diríjase a la mitad de la casa con la brújula y mire hacia la misma dirección de la puerta dentro del lugar, luego sitúe allí el elemento que le corresponde según la lista a continuación para sacarle el máximo provecho. Por ejemplo, si el frente de la puerta es el Sur, diríjase al Sur de la casa y active este sector con una gran lámpara o un candelabro, y si tiene un buen espacio a la entrada también puede hacer la misma activación.

Para las casas cuyo frente es al Norte
El punto cardinal Norte tiene como elemento el agua. Al situar una fuente o cuadros con ríos, mares o cascadas en este

lugar activa la suerte en la profesión o en nuevos proyectos, así como ascensos y buena remuneración en su trabajo para los ocupantes del hogar o del sitio de trabajo. Aquí puede utilizar los colores azul, negro, gris, plateado, dorado y cobrizo, y los accesorios decorativos en metal potencializan el sector. Si la habitación principal queda en el Norte, no se puede utilizar ningún distintivo de elemento agua porque trae improductividad, así que debe reemplazarlo por la figura de una tortuga, sin importar el material.

PARA LAS CASAS CUYO FRENTE ES AL SUR

Al punto cardinal Sur le corresponde el elemento fuego. Esta dirección activa la fama, el reconocimiento, la popularidad y la suerte del éxito. Active la entrada o el Sur del lugar con lámparas de luz muy brillante, candelabros, cuadros o esculturas de aves despampanantes, figuras de personas, colores rojo, fucsia, naranja o granate y accesorios decorativos en madera para potencializar el sector.

PARA LAS CASAS CUYO FRENTE ES AL ESTE

Al punto cardinal del Este le corresponde el elemento madera, que activa la suerte en la familia y sus descendientes, así como todos los proyectos nuevos. Para activarlo se deben colocar plantas muy frondosas sembradas en tierra o en agua, una figura de un dragón si le gusta, esculturas pesadas hechas en madera, colores verde, azul o negro. Para darle mayor realce ponga en este sector una fuente de agua o cuadros con elemento agua, siempre y cuando no quede en una habitación de dormir.

Para las casas cuyo frente es al Sureste

Al punto cardinal Sureste le corresponde el elemento madera. Lo ideal es sembrar plantas de tallo fuerte como ficus, araucaria, bambú, pachira, pino o naranjos, para activar el crecimiento y fluidez a la entrada del dinero para todos los ocupantes de la casa o del negocio. Siempre deben estar en muy buen estado, aliviadas y frondosas. También puede ubicar un distintivo de agua como fuentes, acuarios o cuadros con ríos, mares o cascadas, siempre y cuando no sea en habitación de dormir. Pueden ir los colores verdes, azules o negro para potencializar el sector.

Para las casas cuyo frente es al Oeste

Al punto cardinal Oeste le corresponde el elemento metal, que activa la creatividad y la suerte para los hijos, y cuando no hay hijos se activa el éxito en las metas. Puede potencializar la entrada o el Oeste del lugar con un tazón lleno de semillas como mostaza, girasol o macadamia, con esculturas de la yegua con su crío, un par elefantes o decoración de cerámica, barro, porcelana, cristal o yeso. También puede utilizar accesorios de metal como cobre, bronce y plata, y utilizar colores en gamas de gris, plateado, dorado, blanco, beige y crema para potencializar el sector.

Para las casas cuyo frente es al Noroeste

Al punto cardinal Noroeste le corresponde el elemento metal, el cual ayuda a activar todos los benefactores poderosos para todos los ocupantes del lugar. Cuando se activa atrae toda la gente que lo ayuda y le colabora como el jefe, la empresa, el gerente del banco que aprueba las solicitudes, los empleados y todas las personas que lo favorecen para que logre el éxito en su vida. Para acrecentar la activación, sitúe un tazón lleno de muchas monedas de color dorado o de muchas piedras semipreciosas y que se vea abundante. También pueden utilizar accesorios decorativos del elemento tierra en este sector de entrada o en el Noroeste del lugar, como recipientes de barro, porcelana, cerámica, cristal o yeso, y tener colores tierra como amarillo, café, terracota o tabaco, gris, plateado, dorado, blanco, beige o crema. Procure que la decoración sea masculina, no femenina.

PARA LAS CASAS CUYO FRENTE ES AL NORESTE

Al punto cardinal Noreste le corresponde el elemento tierra, el cual rige el conocimiento y el éxito académico. Debe activar la entrada o el Noreste de la vivienda con muchas conchas, especialmente la del caracol ciprea si no le tiene ningún agüero, o muchas piedras semipreciosas de color amarillo como el ojo de tigre o el cuarzo citrino. Es bueno colocar el elemento fuego como lámparas de luz brillante, candelabros y los colores amarillo, café, terracota, tabaco, así como rojo, fucsia, naranja y granate.

PARA LAS CASAS CUYO FRENTE ES AL SUROESTE

Al punto cardinal Suroeste le corresponde el elemento tierra, que da estabilidad a las relaciones personales como las familiares, de pareja y amigos, y también las laborales y comerciales. Se debe activar en la entrada o el Suroeste del lugar con una amatista o cuarzo rosado de unos cinco centímetros como mínimo o una flor de loto hecha en cristal para activar las buenas relaciones. Se recomienda que esté presente el elemento fuego como lámparas y velas, y utilizar los colores amarillo, café, rojos, fucsia y naranja.

Consejos para decorar el cuarto

Adecuar la habitación de acuerdo con los principios del Feng Shui tiene más que ver con el romance que con una noche de sueño placentero; esto aplica tanto para las personas solteras como para las casadas. Si en sus planes está atraer el amor a su vida, al decorar recuerde que dos son compañía. Entonces, aunque viva solo, no enfatice la percepción de una sola cosa en su habitación: ubique dos almohadones, dos nocheros, dos lámparas, cuadros en los que aparezcan dos personas; esto estimula y activa su vida en pareja. Nunca coloque tres objetos iguales, como tres velas, tres cojines o un cuadro partido en tres, porque esto invita a que se consiga una pareja que arrastre una relación antigua o que esté casada. Pasa lo mismo si decora todo en unidad: una escultura o un cuadro de una mujer sola, una sola mesa de noche, una sola lámpara. Así envía un mensaje al Universo de que no desea tener una pareja a su lado.

Tener un espejo que refleje toda la cama matrimonial es un error que en definitiva no se puede cometer puesto que induce a que una tercera persona llegue a la relación, invitando a la infidelidad. Un espejo que refleje toda la cama tampoco es recomendable en la alcoba de las personas solteras porque entorpece la placidez del sueño o hace que se levante cansado como si las horas de dormir no fueran suficientes.

Es excelente que haya una ventana ubicada en la pared de al lado de la cama porque atrae la energía que da vida, como los rayos del sol. Y si a través de ella se puede gozar de los árboles y del canto de las aves aportando al entorno paz y armonía, será aún más auspicioso. Debe evitar que una ventana esté ubicada sobre la cabecera de la cama, y si por disposición de los espacios así debe quedar, coloque un *black out* o cortina pesada para que por la noche simbolice una pared y en el día levántelo para que entre la luz.

Nunca pinte las paredes y el cielo raso de una alcoba de color azul oscuro o negro, porque dentro de la habitación donde regularmente dormimos el elemento agua representado en peces, plantas acuáticas, cuadros de paisajes con ríos, mares, lagos o cascadas invoca peligro de improductividad, infidelidad, pérdidas económicas y de relaciones. No obstante, un vaso con agua sobre el nochero (retirado en la mañana) no ejerce efecto nocivo. En términos de Feng Shui, el agua simboliza dinero y es muy auspiciosa si se ubica correctamente en las áreas adecuadas del hogar, pero está estrictamente vedada en las habitaciones de dormir. Dormir sobre camas de agua atrae inestabilidad a su vida, es como si durmiera en un flotador en el vaivén del mar.

LA CAMA

Muchas personas piensan que mientras más grande la cama, ¡mejor! Pero esto solo aplica cuando es una sola pieza de cama, no dos camas pequeñas puestas juntas para que den la apariencia de ser una cama grande compartiendo la misma cabecera, pues esto hace que se pierda la comunicación y se enfríe la relación de pareja. Dos colchones separados pretendiendo ser una cama doble conllevan a la separación de la relación, más aún si es una pareja joven. Las camas auspiciosas, aquellas de base y estructura maciza, con una cabecera compacta colocada contra una pared sólida, proporcionan soporte a su vida que bien puede reflejarse en su suerte. Una cama sólida simboliza una cama de éxito.

Aunque lo ideal es no tener una televisión en su habitación, cuando la tenga evite que esté en posición baja que refleje la cama como si fuera un espejo, puesto que promueve la infidelidad. Si para usted es absolutamente necesario porque se duerme con la televisión, una buena opción es empotrar el aparato dentro de un armario, de forma que la pantalla quede totalmente cubierta cuando no esté en uso y se pueda encerrar antes de dormir, o ubicar brazos metálicos a una buena altura con la televisión para que no se refleje la cama.

La habitación tampoco es el sitio adecuado para equipos de gimnasia, un escritorio o un computador, porque estos simbolizan actividad y conllevan el insomnio. Este espacio debe estar perfectamente organizado en todo momento. Es muy fácil desvestirse, dejar la ropa tirada donde caiga y abstenerse de recoger el desorden, pero esto obstaculiza la libre circulación de la energía cuando usted duerme y genera cansancio.

En general, todo lo que usted ubique dentro de la habitación debe ser muy sereno y vivificante y entre menos cosas haya mucho mejor. Un adecuado Feng Shui en tan importante sitio del hogar enriquecerá el flujo de energía voluptuosa y romántica y permitirá que usted utilice al máximo su alcoba, bien sea para dormir o para disfrutar del amor apasionadamente.

CÓMO UBICAR LOS MUEBLES EN EL HOGAR

El buen Feng Shui tiene que ver con la perfecta sincronización del *chi* o la energía dentro de nuestros espacios, de forma que siempre haya un buen equilibrio de las **fuerzas del yin y el yang**, lo claro y lo oscuro. Esto es, que hacia donde quiera que uno mire o se siente, haya siempre una sensación de bienestar y tranquilidad, y que cuando vayan visitantes se sientan plácidos.

Su vivienda se debe decorar con un buen estilo, buen gusto, elegancia, el lujo que su dinero le permita comprar. Muchas veces no se trata de que el artículo sea caro, sino de que sea bonito y aparente. No deje que su hogar muestre que falta dinero para vivir cómodamente, pues esto atrae pobreza y ruina. Tener el espacio armónico y bonito hace que la persona se conecte con la prosperidad y así atrae más prosperidad.

Nunca ubique un mueble grande en un espacio pequeño, especialmente en la sala si es un sitio cerrado con ventanas pequeñas que dan la sensación de encierro. Las ventanas grandes agrandan el espacio visualmente. La selección de los muebles debe siempre estar en equilibrio con el tamaño del sitio. No es buena idea colocar demasiados muebles de diferentes tamaños en su habitación y sofocarla en exceso; siempre es importante guardar el equilibrio.

En los vestíbulos pequeños no es bueno ubicar consolas o mesas que ocupan mucho espacio o muebles atravesados, pues no es buen Feng Shui tener que esquivar los muebles para poder pasar. Evite ubicar plantas gigantescas en espacios muy pequeños, si las tiene retírelas o reacomódelas en otros espacios para que la energía circule de forma natural. En los recibidores amplios preferiblemente ubique mesas de forma redonda para poder circular fácilmente, en la sala cerca a los sofás y sillas puede colocar mesas laterales para que no ocupen mucho espacio.

La sala siempre debe ser un sitio amigable, que invite a sentarse y sentirse cómodo mientras se está haciendo la visita. Este espacio se debe sentir como si fuera el corazón de la casa. Si le gusta mucho el colorido en la decoración procure que no falte la presencia de los cinco elementos en sus colores, que son azul, verde, rojo, amarillo y plateado, para crear armonía. Los muebles deben ser lo más regular posible y que no falte una buena iluminación, que actúa como un imán para que la buena energía circule fácilmente en toda la casa.

Puede poner una foto familiar en la sala principal, pero asegúrese de que aparezcan todos los miembros de la familia, porque de no ser así, atraerá tragedias, alejamiento, pérdida de personas por una enfermedad y discusiones familiares. Una foto familiar bien tomada garantiza que todos permanezcan unidos. Es importante que en la foto todos aparezcan felices y que no quede mutilada ninguna parte del cuerpo. Cuando se ubican fotos de la familia unida significa que es muy poco probable que se separen y al mismo tiempo tiene el efecto de proporcionar protección.

El comedor es un lugar donde los miembros de la familia comparten los alimentos e interactúan unos con otros, por lo tanto debe ser un lugar despejado. Cuídese de que la mesa del comedor no esté siempre llena de objetos, pues hay personas que acostumbran trabajar en ella y la llenan de papeles, se vuelve el sitio donde descargan las carteras o en los asientos cuelgan la ropa que se quitan. Procure que su decoración sea linda y sobria, cuelgue cuadros que simbolicen abundancia en la comida, como muchas frutas que se vean apetitosas, y nunca cuelgue cuadros de animales muertos, pues no crearían una buena vibración energética para este espacio.

Es recomendable para que la buena fortuna visite su espacio pintar la casa, el local o la oficina cada cuatro o cinco años, y si ve que por el trajín diario la pintura se deteriora en menos de dos años debe hacerlo de inmediato.

UN ÁRBOL FRENTE A LA PUERTA PRINCIPAL

Si tiene un árbol frente a la puerta principal, se puede bloquear la buena suerte para la familia, pues este hace que el flujo de caja no se mueva como se quiere y se pierden oportunidades. Si usted no puede quitar el árbol, debe tener una muy buena iluminación en la puerta de entrada para minimizar el efecto de bloqueo.

EL JARDÍN

En el Feng Shui es muy importante saber combinar las plantas de su jardín entre las plantas verdes, las plantas que tienen flores y los árboles frutales. Los arbustos pequeños siempre deben ir en la parte frontal del jardín para que no tapen la visibilidad del lugar, mientras que las plantas con espinas siempre deben estar en la parte trasera del jardín. Es importante tener en cuenta el color de las flores de acuerdo al punto cardinal: en el Norte las flores deben ser de color azul, lila o blanco; en el Sur, Sureste y Este las flores deben ser rojas, naranjas, moradas o rosadas; en el Suroeste y Noreste los colores favorables son amarillo, rojo y naranja; y en el punto cardinal Oeste y Noroeste los colores preferibles son blanco y amarillo.

Para los árboles frutales los puntos cardinales más favorables son el Sur, Sureste y Este, y que no falten los pinos, no importa su variedad, pues simbolizan larga vida y buena salud.

LOS BALCONES

Cuando las fachadas de los edificios tienen balcones, siempre tienen una vista agradable como el mar, una montaña, un cultivo, un río, un bosque o la ciudad. Para que fluya la energía se debe abrir la puerta del balcón de modo que circule por todo el lugar. Cuando un balcón no tiene una vista agradable, como un caño de aguas negras, lotes con basura, desperdicios de construcciones, escombros o invasiones, no se recibe buena energía. En este caso lo mejor es mantener la cortina cerrada o hacer una gran jardinera con plantas altas para desviar este *chi* nocivo.

LOS BAÑOS MODERNOS

Siempre en el Feng Shui se ha considerado que los baños son áreas afligidas por el escape de la energía debido a sus sifones, y porque en este lugar fluyen los desechos. Pero con el paso del tiempo lo baños han evolucionado, no se puede comparar un baño de muchos años atrás con los modernos de ahora, que son de mármol, porcelanato, granito o piedra pizarra, y están construidos con lujo de detalles, espacios grandes, tinas y jacuzzis, donde se puede relajar y disfrutar de un buen rato. Estas comodidades hacen que se neutralice un mal Feng Shui; lo único que debe tener en cuenta cuando tenga uno de estos baños gigantescos es que el inodoro quede en un espacio aparte, separado del resto, y trate de tener siempre la puerta cerrada. Si el sitio donde queda el inodoro no tiene una buena ventilación, mantenga la tapa del inodoro hacia abajo para poder dejar la puerta abierta.

NO FOMENTE EL CAOS

Así como nos esforzamos por aplicar los principios del Feng Shui para mantener la armonía y equilibrio energético de nuestro entorno, igualmente debemos tomar atenta nota de ciertas cosas que entorpecen el logro de este objetivo. Por ejemplo: no fomente el caos en su hogar exhibiendo imágenes violentas en esculturas, o cuadros de pobreza, de animales muertos, de personas mutiladas o de desolación, ni escuchando música que no sea de su agrado. Opte por objetos, pinturas y música que le brinden felicidad, que creen armonía, que lo serenen y hagan placentera la estadía en su hogar.

Piedras para rodear la casa

Las piedras de un río traen muy buenas vibraciones, representan la energía de la tierra que trae estabilidad y respaldo económico. Si tiene una casa rodeada de jardín, puede ubicar unas cuantas piedras de río del tamaño de la palma de la mano, sin puntas y pintadas de dorado. También puede colocar una montaña de piedras doradas en el punto cardinal Noreste de su jardín para crear una conexión directa entre el Cielo y la Tierra, así como para atraer solidez y respaldo económico. Si vive en un apartamento o casa que no tiene jardín puede ubicar en cada una de las cuatro esquinas unas cuantas piedras pequeñas del tamaño de una pelota de tenis pintadas de dorado.

Señales del Feng Shui

Derramar azúcar

Derramar accidentalmente azúcar es un augurio de buenas noticias. Si usted tiene un problema en ese momento quiere decir que el Universo está trabajando a su favor y que esa situación se resolverá rápidamente. También es un anuncio de que habrá un compromiso de matrimonio en la familia o el nacimiento de un nuevo proyecto.

Active sus benefactores

Si está buscando buenos benefactores, gente influyente en su vida que siempre esté dispuesta a colaborar cuando usted lo necesite, ubique en el Noroeste de la sala un cuadro con marco de color dorado o metálico que no tenga color rojo, o una escultura pesada. También puede colocar en este sector la imagen o figura de caballos o de un unicornio, así como el Pegaso, que es el caballo con alas, puesto que estos atraen suerte de riqueza y éxito.

Limpieza de la habitación

Sin importar que lleve una vida en pareja o simplemente viva independientemente, nunca debe descuidar la energía que circunda la habitación principal. Limpiar ese espacio de energías negativas y revitalizarlo periódicamente es una rutina que aporta grandes beneficios tanto para mejorar su vida amorosa como para incrementar su bienestar general.

Para desatascar ese espacio de las energías nocivas que se van almacenando con el tiempo, por lo menos una vez al mes exponga al sol las almohadas y cojines, abra las ventanas para impregnar la habitación de energía yang y queme un fragante incienso caminando alrededor de la cama.

Jamás guarde debajo de la cama artículos personales que no tienen oficio como libros o árboles de navidad, y mucho menos zapatos. Si necesita guardar algo debajo de la cama, que sean cosas que tengan un uso permanente como toallas o sábanas.

Tampoco permita que la superficie de su mesa de noche se sature de libros, papeles y cosas inservibles. Haga periódicamente una revisión para botar lo que no necesite, o para devolver cada cosa a su lugar.

Cuando sienta que el aire está demasiado seco o polucionado, humedezca la atmósfera de la alcoba atomizando agua de rosas o esencia de menta para restablecer el equilibrio entre el yin y el yang. Recuerde que el aire circundante ejerce una fuerte energía sobre el estado de ánimo de los miembros de la familia.

AVES EN CAUTIVERIO

Si usted compra un pájaro que ha nacido libre, fue sacado de su hábitat y luego lo enjaula en un espacio estrecho, en lugar de dejarlo volar libremente, en el Feng Shui simboliza pérdidas de oportunidades y retardo en su progreso profesional. No es lo mismo cuando un pájaro ha nacido en un criadero de aves, pues no sabe sobrevivir afuera y si lo soltara moriría de hambre; en este caso tenerlo no conlleva ninguna connotación negativa, siempre y cuando esté muy bien cuidado.

AVES PARA LOS DESEOS

Cuando alimenta las aves silvestres activa energía yang en su hogar. Las aves atraen grandes oportunidades, mucho éxito y alegría. Con su vuelo se dice que llevan los deseos al Universo con su energía, por eso es bueno hablarles de lo que desea mientras las ve comer. Cuando un pájaro hace nido en cualquier parte de su casa significa entradas de dinero, crecimiento en el negocio, ascensos laborales, beneficia a los hijos en las metas trazadas y activa el nacimiento de un bebé en la familia. No debe tocar el nido ni mucho menos sus huevos, es muy importante respetarlos.

EVITE SEÑALAR A LAS PERSONAS

Nunca señale con el dedo ni apunte con un objeto puntiagudo como cuchillos o tijeras hacia una persona cuando esté hablando con ella, porque podría atraer fricciones. Cuando esto pase se debe voltear de inmediato y colocar la palma de la mano abierta como si estuviera rechazando la acción por considerarla un acto descortés y de mala educación. Tampoco es bueno hacer avisos publicitarios señalando con el dedo, pues generan mucha energía negativa y no tendrían un impacto positivo en el público.

USO DE LOS CRISTALES EN EL HOGAR

Los cristales como los cuarzos, independientemente del color (amatista es el morado, venturina es el verde, citrino es el café o el blanco que es el más común), son amplificadores cósmicos, piedras sensibles a la energía. Tienen su propia vibración, por eso hacen relojes con cuarzo por su precisión. Estos cristales recogen y almacenan tanto la buena como la mala energía. Es bueno antes de usarlos para una activación limpiarlos con un paño empapado con agua y sal marina. Si se presenta una discusión fuerte y se está cerca de los cristales debemos retirarlos y sumergirlos en agua con sal marina durante veinticuatro horas para que reciban luz del día y luz de la noche. Luego se enjuagan y se vuelven a ubicar en su sitio. También los puede sumergir en un recipiente con arroz crudo.

LAS PIEDRAS REPRESENTAN INGRESOS

El elemento tierra representa ingresos (capital, bienes, propiedades, estabilidad económica) y por ello es aconsejable exhibir sólidos cristales y piedras preciosas de un buen tamaño, mínimo de ocho centímetros, y colocarlos sobre una mesa pequeña en su sala o sobre mesas laterales. Desde luego, si usted personalmente lleva puestas algunas magníficas piedras preciosas o semipreciosas naturales, provenientes directamente de la madre tierra, como citrino, amatista, cuarzo blanco, jaspe, cornalina, lluvia de oro, heliotropo, ónix, ágatas, turmalinas, jades, rodocrosita, serpentina, malaquita, moldavita (gemas en bruto con incrustaciones o racimos de diminutos cristales que resplandecen como el azúcar o la nieve) lapislázuli, etcétera, seguro tendrá un gran empuje a la disponibilidad de los recursos que necesitará para activar buena fortuna y éxito. A pesar de que el éxito es maravilloso, también trae consigo la negatividad de los celos y malas intenciones de otras personas contra las cuales usted debe resguardarse y protegerse; para ello la turmalina negra es una gran piedra protectora.

FLECHA EN CRISTALES

Cuando esté construyendo su casa, entierre tres cristales de cuarzo no importa el color en forma piramidal, de manera que la punta del triángulo quede mirando hacia fuera para que la mala energía de personas mal pensadas, malintencionadas y envidiosas no entre a su casa.

PROBLEMAS PARA DORMIR

Si usted tiene problemas para conciliar el sueño, consiga una piedra de amatista mínimo de ocho centímetros de grande y ubíquela entre el colchón y la base de la cama, de modo que quede a la altura de sus pies, con la intención de tener un buen descanso. Cada tres meses sáquela y sumérjala en agua con sal marina durante veinticuatro horas, luego enjuáguela y vuélvela a guardar en su cama.

DESALOJE LA ENFERMEDAD

Cuando ha estado mucho tiempo enfermo, es muy bueno limpiar la habitación para desalojar esta energía. Abra las ventanas en la mañana para que entren los rayos del sol y pueda disolver cualquier energía de enfermedades que esté en el lugar. Ponga música a un buen volumen, coja menos de un litro de agua, agréguele seis cucharadas de bicarbonato de soda y trapee el espacio con esta mezcla. También puede tocar campanas para purificar la energía y así evitar que se repitan las enfermedades, o situar jarrones con flores para levantar el ánimo; cuando las flores estén marchitas las debe retirar.

PROTECCIONES GENERALES

ANTES DE UN VIAJE

VIAJE AL NOROESTE U OESTE

Si usted viaja rumbo al Noroeste o al Oeste de su país o al exterior, un día antes de emprender el viaje encienda una vela de color rojo o queme incienso y apunte con el incienso hacia la dirección a la que se dirige para protegerse de que no tenga ningún contratiempo.

VIAJE AL NORESTE, SUROESTE O CENTRO

Si su viaje es hacia el Noreste, Suroeste o centro de su país o al exterior, golpee fuertemente el aire tres veces con una vara pequeña de bambú para protegerse de lesiones durante sus viajes.

VIAJE AL SUR

Si su viaje es hacia el Sur del país o fuera de él, tómese solo un vaso grande de agua antes de salir de la casa. Si no lo puede hacer, como alternativa se puede lavar las manos antes de salir para su viaje.

VIAJE AL SURESTE

Si su viaje es hacia el Sureste de su país o del exterior, consiga un cuenco sonoro de siete metales o una campana del Tíbet y en el momento de salir de su casa toque siete veces con un mazo de madera el cuenco o la campana, para que su viaje sea exitoso.

VIAJE AL ESTE

Si va a viajar hacia el Este de su país o del exterior, consiga una campana de siete metales como las traídas del Tíbet y hágala sonar seis veces en dirección hacia el Este antes del atardecer del día anterior a su viaje para que no tenga contratiempos.

VIAJE AL NORTE

Si está viajando hacia el Norte de su país o del exterior, antes de iniciar el viaje saque un montoncito de tierra de su jardín o de una matera de su casa y arrójela por una ventana o por la puerta principal, como sea más fácil, hacia el Norte para que todo le fluya en el viaje.

LA IMPORTANCIA DE LOS REGALOS

Dar y recibir regalos es un magnífico intercambio que demuestra aprecio. Uno pensaría que cualquier regalo dado de corazón es bueno, pero infortunadamente no siempre es así.

Un regalo inapropiado representa malas nuevas sin importar cuán nobles sean sus intenciones.

Desde el punto de vista del Feng Shui, un regalo "hace feliz tanto a quien lo da como a quien lo recibe". Dar un regalo auspicioso trae suerte al dador al igual que al receptor. Todos se benefician. Es una gran bendición poder darlo y hacerlo con la actitud mental correcta. El acto de dar debe siempre estar acompañado de sentimientos auténticos de buena voluntad.

Los regalos deben envolverse en colores yang, brillantes, como el rojo, fucsia, naranja, morado y dorado; y atarlos con una cinta roja o dorada activa su contenido, expresando una actitud positiva a quien se lo va a dar. Nunca entregue un regalo envuelto en papeles viejos o reciclados. Tenga en cuenta que es una falta de consideración utilizar demasiada cinta adhesiva que exija al receptor rasgar la envoltura con violencia.

Las canastas, llamadas también anchetas, que están llenas de artículos vencidos que han sobrepasado su vida útil, son regalos terriblemente desfavorables, las energías negativas adheridas a tales canastas ocasionarán un grave daño a sus relaciones. Es mejor que usted entregue el regalo personalmente.

Casi cualquier objeto hace que un regalo sea halagüeño, aunque hay circunstancias especiales en las cuales es inapropiado. Uno debe estar atento a lo que representan los hábitos de una determinada cultura. Por ejemplo, en la cultura Occidental los objetos que miden el tiempo como relojes de alarma, de pared, de bolsillo o de pulsera son bien aceptados como regalo. Pero como para los chinos el paso del tiempo sugiere indirectamente una limitada duración de la vida, dar un reloj no es muy aceptable. El término para reloj, *soong joong*, suena exactamente igual al término chino de asistir a un funeral; por ello este regalo no es bien visto, menos si se da a una persona de tercera edad. Por diferencias como esta siempre se deben tener en cuenta las costumbres de cada ciudad o los agüeros de cada persona.

Si al aceptar el ofrecimiento de artículos descartados por amigos o familiares que para ellos ya no son útiles, usted los recibe por antojado, pero no porque en realidad los necesite y terminan luego almacenados en los closets, áticos o sótanos, crea un *chi* negativo que obstaculiza la prosperidad.

Cuando recibe un regalo de una persona hostil, agria o de pensamientos negativos, al usarlo experimenta una sensación de inquietud. No sabe ni dónde poner el regalo porque no le encuentra acomodo, e intuitivamente recibe el mensaje de desaprobación, más aún si el regalo fue dado más por obligación y no con amor. Lo aconsejable es vender, donar o descartar estos regalos, así sean artículos costosos. Con ello se evita impregnarse de la energía nociva de quien regala.

Igual sucede con aquellos regalos que, aunque recibidos de personas a las cuales se aprecia, no le agradan en absoluto y sin embargo los exhibe. La solución es donarlos o volverlos a regalar a quien demuestre una atracción por el artículo.

No es bueno regalar objetos afilados como hojas de afeitar, espadas, dagas, cuchillos para cacería o para la cocina, abrecartas, tijeras, navajas, etcétera. Dar objetos de este tipo como regalo literalmente romperá la amistad, es como si se le estuviera enviando mala suerte al otro. Sin embargo, cuando este tipo de regalo sea inevitable, la persona que lo recibe puede dar una moneda a quien se lo da para neutralizar los efectos del regalo; así la persona que lo recibe simbólicamente ha comprado el objeto.

Recibir un gesto de vecindad demanda una respuesta digna. Si su vecino le envía un recipiente con su receta culinaria, al devolver el recipiente asegúrese de poner en él algunas frutas o huevos. Mejor aún, como un gesto recíproco, deléitese con su propia receta especial para compartir el alimento.

CUIDE SU APARIENCIA PERSONAL

Cuidado con el vestuario: nunca use vestidos rotos, deteriorados o sucios, ya que esta es una de las peores cosas que puede hacer para arruinar o perjudicar su Feng Shui personal. Puede estar de moda usar telas descoloridas, rotas o raídas, pero tenga en cuenta que vestir de esta forma trae muy mala suerte, pues atrae la ruina y la pobreza, y además que el dinero no fluya como usted quiere.

La imagen dice mucho. Mantenga su apariencia en todo momento; esto no necesariamente significa levantarse con el collar de perlas puesto, pero que si alguien llega a su casa de improviso no lo encuentre fuera de base. No se vista desaliñado, aun cuando solo salga a comprar alguna minucia, pues nunca sabe con quién se va a encontrar. La buena presentación no quiere decir que siempre se vista de etiqueta o con trajes de diseñador; simplemente significa mostrar una equilibrada y armoniosa apariencia a los demás. Así que antes de salir, asegúrese de que por lo menos tiene la cara lavada, los dientes cepillados, el pelo peinado o recogido, si es mujer póngase unos aretes y también puede usar gafas para disimular la falta de maquillaje, y lleve puesto un vestido limpio, en perfecto estado.

LOS COLORES IDEALES PARA CADA OCASIÓN

Los colores proporcionan una energía propia. El cuerpo es intuitivo en el momento de vestir, a veces usted elige algo y lo descarta en un minuto porque así no se quiere ver. La ropa también afecta el estado de ánimo y las emociones, así como la autoestima. Tenga en cuenta cómo se viste cuando quiere dar una buena primera impresión a los asistentes de una reunión o cuando vaya a una entrevista, y esté atento a cómo se siente más cómodo. Para atraer el amor con la pareja es bueno vestir de color rojo, fucsia o rosado. El rojo también activa la energía para sentirse animado o ser el centro de atención en una fiesta, mientras que el amarillo o dorado atrae la suerte en las negociaciones, en las ventas y en el dinero.

Para sentirse muy especial y enigmática en una reunión importante, debe usar el color negro. El color verde tranquiliza y reduce el estrés. El azul se puede usar cuando necesita máxima concentración, o cuando tiene una conferencia o seminario que implique hablar mucho para que tenga mayor fluidez. También con el negro y el azul se logra calmar el temperamento fuerte o un exceso de energía yang. Es bueno usar el color blanco para tener una buena recuperación después de estar enfermo, y para una entrevista de trabajo.

La importancia de la cartera

La cartera es un accesorio personal indispensable que la mujer lleva siempre consigo, sea cual sea la profesión u oficio que desempeñe, puesto que allí porta los documentos personales, la chequera, la billetera, la cosmetiquera, las llaves de la casa y el carro. Es a menudo un distintivo de su personalidad, un complemento que no solo la hace sentir bien presentada, sino que también cumple con su objetivo primordial de conservar el dinero y tener a mano cosas importantes que necesite fuera de casa.

Como su adecuado mantenimiento y uso contribuye a incrementar el flujo de ingresos, es aconsejable tener en cuenta los siguientes puntos:

Antes de salir de casa revise el contenido de su bolso y la ubicación de los objetos dentro del mismo. Nada más desagradable y vergonzoso que ver a una persona "escarbando" o vaciando la cartera para encontrar un determinado artículo.

Por ningún motivo y bajo ninguna circunstancia coloque la cartera sobre el piso en su casa, en un restaurante, en una clínica, etcétera, y menos aún en el piso de un baño. Al hacerlo no solo se expone a recoger gérmenes y vibraciones nocivas, sino que también destruye las buenas energías de prosperidad.

No tire las monedas al fondo del bolso: esto significa irrespetar el dinero. Consérvelas en un monedero o en un compartimento con cierre que le facilite tenerlas a mano, y no las guarde junto con recibos de parqueadero o de peajes.

Cargue en su cartera pequeños artículos que puedan serle útil a usted o inclusive a otra persona como medicamento para el dolor, hilo dental, antibacteriano, pero no la utilice como recolector de desperdicios y mucho menos de papelera: nadie guarda su dinero en el cesto de la basura. Y si durante el día acumula papeles o recibos, procure botarlos en la noche para que su cartera quede limpia.

Al comprar la cartera asegúrese de que sea realmente cómoda y de su total agrado. Fíjese que tenga apropiados compartimentos que le permitan encontrar con facilidad las llaves del auto o de su hogar, pequeños artículos como lapiceros, celular, etc. y que por seguridad pueda cerrar rápidamente para evitar la tentación a los ladrones.

Mínimo cada dos semanas debe desocupar por completo el bolso y la billetera para eliminar el desorden y la suciedad que obstaculizan el flujo eficiente de las energías de riqueza y prosperidad. Reemplácelos inmediatamente si presentan algún signo de deterioro, bien sea interno o externo.

En cuanto a la billetera, utilice una que le brinde fácil acceso al dinero, cuidando siempre de disponer de más espacio para guardar el efectivo que para las tarjetas de crédito. Mantenga siempre en ella un billete de alta denominación, no para el gasto sino como una reserva a utilizar en caso de un imprevisto. Esto atraerá más dinero y le hará sentirse una persona próspera. Las billeteras de color rojo atraen un buen flujo de dinero.

LUCES DURANTE LA NOCHE

La oscuridad total no es buena, pues activa la energía yin, que trae enfermedades y lentitud. Siempre se debe dejar alguna luz de la casa u oficina encendida durante toda la noche, preferiblemente una ahorradora de energía para ser amable con el planeta. Esta luz encendida asegura que la energía yang nunca se agote en este lugar y traiga prosperidad y buena salud a sus ocupantes.

LUCES BRILLANTES

Las luces brillantes de color amarillo que son cálidas en las lámparas o plafones de luz tienen diferentes efectos dependiendo de dónde se pongan. Ubicadas en el punto cardinal Sur traen reconocimiento, mientras que en el Norte atraen éxito profesional o en los negocios. En el punto cardinal Este activan la felicidad en la familia, en el Sureste aumentan los ingresos, y en el Noreste traen suerte en los estudios y para ganarse becas. En el Suroeste atraen el romance, en el punto cardinal Oeste el cumplimiento de las metas y éxito para los hijos y en el Noroeste activan toda la gente que le ayuda y colabora.

GOTEO DE AGUA

En el Feng Shui el agua es símbolo de abundancia y prosperidad, por eso los problemas de agua en una casa como goteos de llaves o de inodoros, o taponamiento de cañerías, traen la reducción de los ingresos y gastos inesperados. Debe arreglar estos problemas lo más pronto posible para que no se quede sin dinero.

Oro, fuerza vital

No es extraño, por el contrario, es común y corriente ver cómo en las vestimentas que usaban los emperadores y las emperatrices en China el oro era un elemento que no podía faltar. También en la decoración del hogar, en los símbolos de activación, cura y protección y en los accesorios personales que hasta el presente exhiben o llevan consigo los orientales, el dorado es un color predominante; esto se debe a que el oro es un metal precioso que por naturaleza posee potente energía yang.

En la cultura china les gusta utilizar muchas joyas hechas en oro, pues dicen que les ayuda a pasar muchas aflicciones negativas, pues hace que reboten y no le peguen a quien las porta. El oro es un elemento que desprende de la madre tierra, cuando se usan joyas en oro protegen de enfermedades, hacen que reboten energías negativas enviadas por personas envidiosas y usar este elemento también activa la abundancia y la prosperidad.

Respeto para las personas mayores

Evite hacer enojar a sus abuelos y padres, y sobre todo insultarlos, directa o indirectamente. Tener problemas con el papá implica consecuencias en el aspecto profesional, como dificultad para conseguir buenos trabajos y bien remunerados. Si los problemas son con la mamá el dinero no fluye como se quisiera. No puede ser una persona malagradecida, a toda costa debe evitar que las personas mayores maldigan contra usted porque su palabra tiene mucha fuerza, su tristeza e indisposición hacen que la energía se reduzca y se debilite, generando que las cosas que se hacen día a día no salgan bien, que esos regalos económicos que le tiene el Universo comiencen a disminuir. Para que todo lo que esté en su entorno fluya debe pedir la aprobación y las bendiciones de los mayores, así como demostrarles amor.

Recomendaciones para el amor

Cultivar el amor

Es pertinente tener en cuenta que el amor, al igual que el bienestar general, no se debe cultivar y enaltecer solo en una determinada fecha, como en el día del amor y la amistad, en los cumpleaños, o el día de la madre o del padre. Tampoco es bueno dar por sentado que nos merecemos el amor "porque sí". El amor es un sentimiento que debe ser alimentado con detalles, por pequeños que sean, como una mirada tierna, una tocada de mano, una palabra dulce, una pregunta sobre cómo está el otro; un amor bien fomentado, agasajado, sin pensar que por haber estado casados o compartiendo con la pareja durante mucho tiempo ya puede relajarse y sin creer que la atención que se da es una obligación.

Enamorarse, tener y conservar una relación que los haga sentir de verdad amados, consentidos, respetados y protegidos, es esencial tanto para la salud como para el bienestar general, es algo que se anhela.

No obstante, puede llegar a sentirse confiado, tranquilo, cómodo y descuidado con sus compañeros, o también con la familia y con las amistades, hasta el punto de creer que por ser quien es lo merece todo. Y en el momento menos pensado: ¡sorpresa!, la magia desaparece. Es entonces cuando un buen Feng Shui puede darle la mano. Para empezar, este es el significado de algunas de las gemas que le ayudan a armonizar para mantener vivo el amor.

Piedras que activan el amor

Estas piedras equilibran y nutren las relaciones amorosas y se pueden usar como adorno personal en collares, pulseras, anillos y aretes y como activadores y armonizadores al ubicarlos al Suroeste en el hogar.

- **Cuarzo rosado:** Promueve el amor romántico, al igual que el amor propio, y estimula y fomenta las relaciones amorosas, tiernas y pacíficas.
- **Jade verde:** Es considerada por los Orientales como una de las piedras más preciosas, al punto que hay en China un dicho que expresa: "El oro es valioso; el jade no tiene precio". Consolida el amor y la felicidad y ayuda a que los sueños se hagan realidad. También puede utilizar el cuarzo verde, más conocido como aventurina.
- **Amatista:** Acrecienta la paz en el hogar, el entendimiento y la humildad. Apacigua los ánimos cuando se está discutiendo mucho, abre el corazón

para el amor. Aporta satisfacción, felicidad y evita la infidelidad en el matrimonio.

- **Lapislázuli:** Es una gema azul muy mística que ayuda a vencer la timidez, aumenta la armonía interior, acrecienta los niveles espirituales y promueve y aumenta la fidelidad en el matrimonio.

SAL MARINA PARA ATRAER LA FELICIDAD

PARA ATRAER LA FELICIDAD EN PAREJA

Consiga una copa o vaso de color azul, llénelo hasta el borde con sal marina y ubíquelo en el Suroeste de su cocina, área del amor, donde no reciba humedad. Con la intención de disolver cualquier obstáculo que esté en el camino que impida llegar a la felicidad, reemplace el contenido de la copa cada diez días, y puede botar la sal por el desagüe abriendo la llave del agua para disolverla.

PARA QUE LLEGUE UN BUEN HOMBRE

Este es un antiguo secreto chino: si es soltera, separada o viuda y desea que llegue un buen hombre a su vida para entablar una relación seria, en su dedo índice derecho colóquese un anillo de oro amarillo hasta que esta persona llegue a su vida y sea de su completo agrado. Siempre es muy importante decir "que me guste la persona que deseo". Cuando ese personaje llegue y quiera formalizar la relación, cambie el lugar del anillo a su dedo de en medio de la mano derecha para que así sea.

El Suroeste y la felicidad en pareja

Es indescriptible el sufrimiento de las parejas cuando sienten que ya no pueden tolerarse como esposos, más aún cuando hay niños de por medio. Por esta razón la importancia de prestar la debida atención al sector Suroeste del hogar, la parte femenina de la casa, el área que más afecta la calidad de las relaciones dentro de un matrimonio.

Cuando no se le presta la debida atención al Suroeste de la casa empiezan a surgir los problemas. Por ejemplo: si en esta área hay un baño, la energía matriarcal se debilita, ocasionando degeneración en las uniones matrimoniales y familiares. Ubique debajo del lavamanos dos piedras grandes de río del tamaño de la palma de la mano con la intención de dar peso y estabilidad a las relaciones.

Cuando esta área es un sobrante, la mujer se vuelve demasiado dominante y crea conflictos. Ponga la escultura de una pareja para crear equilibrio. Cuando esta área es un faltante, la base de la energía femenina es totalmente inexistente, se le dificulta encontrar y sostener una vida en pareja y el matrimonio entra en graves conflictos.

¿Qué hacer cuando su matrimonio está fallando? Algunas veces puede ser demasiado tarde. Sin embargo, quienes gozan de la suerte de hacer algo a tiempo sin esperar a que estalle la crisis logran rehacer sus vidas. Además hay que tener presente que el Suroeste no solo rige la felicidad marital sino todas las relaciones.

La cura consiste en que la mujer consiga una piedra de amatista sin tallar y la ubique amarrada con una cinta roja a los pies entre la base y el colchón de la cama al lado derecho (que se determina cuando está parada a los pies y mirando hacia la cabecera). Lo ideal es que la mujer debe siempre dormir al lado derecho de su esposo. Con esto se refuerza la energía femenina de la esposa y madre del hogar.

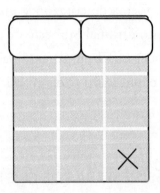

COHETES PARA DESPERTAR EL AMOR

Para empezar un nuevo romance ubique nueve cohetes de pólvora, también conocidos como voladores, amarrados con una cinta roja y amarilla en el rincón Suroeste de su habitación. Este elemento representa energía yang que activa la suerte en el amor. Por supuesto los cohetes son simbólicos, no debe encenderlos, y si no los puede conseguir puede usar una buena imitación.

LOS CRISTALES ROSADOS

Para mejorar la vida amorosa, fortalecer las emociones y atraer el amor y el romance a su vida, el cuarzo rosado tiene mucho poder de magnificar la energía que está alrededor. Consiga un cuarzo rosado en forma de corazón y ubíquelo muy cerca a usted o en el punto cardinal Suroeste de su habitación. También lo puede hacer en el punto cardinal correspondiente a su número Kua, explicación dada en mi libro *Feng Shui para vivir mejor*.

SEIS ESFERAS DE CRISTAL

Seis esferas de cristal o vidrio, pueden ser transparentes o de colores, son excelentes para disolver discusiones, desacuerdos, peleas, enojo y tensión en las relaciones. Ubíquelas en el punto cardinal Suroeste de la casa o de la habitación, o si está discutiendo mucho con el sexo masculino como el esposo, papá, jefe, amigo o hermano, póngalas en el Noroeste.

MAPAMUNDI PARA LAS RELACIONES

Para activar las relaciones con todo el mundo, en el rincón Suroeste de la habitación de dormir o en la sala de estar ubique un mapamundi, que es la máxima representación de la Tierra. Hágalo girar todos los días para estimular la energía de la llegada de nuevos amigos y clientes, agrandar su círculo social y activar la comunicación.

Equilibrio del yin y yang

Cuando quiera conseguir una pareja asegúrese de que en su lugar de vivienda no haya fotos o cuadros de personas solas o tristes. Si usted es separada con hijos, evite los cuadros de mujeres solas cargando a sus hijos o de animales con sus críos, como una yegua y su potrillo, porque se quedaría sola sin pareja viviendo solo para sus hijos. Igualmente evite animales sin pareja, y ubique cuadros o fotografías en pares para activar la energía de atraer la pareja. Para mantener el equilibrio del yin y yang es bueno que si usted es hombre tenga cuadros o esculturas femeninas en su hogar y si usted es mujer tenga cuadros o esculturas masculinas.

Naranjas para el amor

En la antigüedad los hombres y las mujeres solteras lanzaban naranjas a un río para conseguir la pareja deseada. El mejor momento para hacer este ritual es durante la luna llena. Consiga naranjas maduras que estén bien amarillas y en ellas escriba con un lapicero de mina negra cómo desea a su pareja. Debe ser muy específico, y lo más importante que debe escribir es que le guste, no importa cuántas naranjas llene con la petición.

Diríjase a un río que tenga corriente y suelte las naranjas una por una afirmando que la fluidez del agua llevará su petición para que se haga realidad.

Noche de luna para el amor

La luna llena atrae el amor y el romance hacia las vidas de mujeres y hombres jóvenes; aporta también prosperidad marital a quienes ya están casados. Es muy benéfico contemplar la luna llena y en silencio pedirle que le conceda deseos relacionados con su vida amorosa.

Consiga un espejo redondo, y cuando sea luna llena salga a su ventana, patio o balcón, busque la ubicación de la luna, sostenga su espejo en lo alto para que refleje la luz de la luna y cargarlo con sus rayos. Mientras lo hace, empiece a atraer lo que más le conviene en su relación de pareja, lo que necesita vivir en pareja, lo que quiere y lo que su corazón anhela. Visualice la pareja ideal que quiere que llegue a su vida y, lo más importante, diga que le guste. Utilice ese espejo todos los días para verse en él y así activar la atracción para el sexo opuesto. Es importante no confundir la súper luna con un eclipse. La primera aporta increíble buena suerte mientras que un eclipse bloquea la luz de la luna y trae infortunio.

RECOMENDACIONES PARA EL TRABAJO

Es de vital importancia gozar de un buen Feng Shui en el sitio de trabajo, pues es donde permanece más horas en el día. Al estar en una buena posición puede alcanzar el éxito profesional al que aspira. Cuando pueda, trate de escoger su sitio de trabajo y observe lo siguiente, que le ayudará a no sentirse insatisfecho y subestimado:

Procure que su escritorio esté ubicado lo más lejos posible de la puerta de entrada de la oficina, y tenga en cuenta que su cara siempre tenga el control de entrada a la puerta principal. Si no lo tiene ubique un espejo panorámico (convexo) pegado en un sitio estratégico donde pueda tener control de quién pasa detrás de usted.

Su espalda nunca debe quedar de frente a la puerta de entrada porque así invita a que pierda concentración o que lo traicionen y lo engañen. La pared a sus espaldas debe lucir un cuadro que represente soporte o apoyo para su profesión como montañas, paisajes con árboles, caballos o elefantes, pero nunca nada con elemento agua.

Evite sentarse en una oficina o en un escritorio que quede directamente enfrente a la puerta de un baño o de una escalera, puesto que esto restringe fuertemente sus posibilidades de progreso y trae problemas de flujo de caja.

Cuando asista a una reunión de negocios, asegúrese de no sentarse en un sitio donde la punta de una mesa quede de frente a usted. Esta flecha envenenada apuntando a su estómago lo colocará en posición desventajosa frente al resto de los asistentes.

No olvide sentarse siempre de frente a su mejor dirección por número Kua mientras esté trabajando, tema explicado en mi libro *Feng Shui para vivir mejor*.

Coloque en el Sur de su oficina una hermosa ave Fénix, muchas aves volando o un despampanante pavo real, que simboliza fama y reconocimiento, para atraer la suerte de las oportunidades y activar las benéficas energías del Sur. Este símbolo es inmensamente auspicioso porque al activar su vida social usted se volverá una persona popular y muy apreciada entre sus colegas y su círculo laboral.

Sitúe en el Suroeste de su escritorio una bola lisa de cristal o de cuarzo para crear la suerte de armoniosas relaciones con todos sus colegas y atraer también claridad mental para tomar buenas decisiones.

Ubique en el Este de su escritorio un florero con flores frescas para crear energía yang, pero asegúrese de que sea tan grande que le moleste u obstaculice la vista, y cámbiele el agua todos los días, porque si la deja turbia atrae mala energía de estancamiento.

Ponga una saludable y pequeña planta en el Sureste de su escritorio para atraer la suerte de buenos ingresos y para mejorar sus oportunidades de crecimiento personal.

Evite espejos frente a usted, pues si se refleja mientras trabaja se dispersa toda su energía y pierde concentración; la mejor ubicación para los espejos es las paredes laterales.

Cómo activar la energía de los mentores

La mayor parte de nuestra existencia transcurre en función de nuestro trabajo y el anhelo de todo profesional es ver reconocido su talento y escalar merecidas posiciones dentro de la empresa. Por ello no se debe desconocer la importancia de contar con el apoyo de un poderoso mentor, esa persona que lo puede ayudar a progresar a nivel corporativo.

En la práctica del Feng Shui el Este es el área de la familia, pero también es el punto cardinal que está fuertemente asociado con el concepto del mentor. En las empresas, el Este simboliza el área de los empleados. En el lado Este le rige el elemento madera de su oficina o estudio, entonces coloque sobre la mesa, archivador o pared, siempre y cuando le guste, la imagen de un dragón que puede ser de cerámica, cristal o madera, pero no de metal. Esto se debe a que en el ciclo destructivo, el metal cortaría o destruiría a la madera. La imagen del dragón con una perla o un cristal sobre su garra es símbolo de riqueza, poder y abundancia de oportunidades; el dragón disuelve obstáculos. Una obra de arte o un tazón con la figura del dragón sirven también para este propósito.

Vivifique con flores frescas el sector Noroeste, también conocido como el área de los mentores, en el que se encuentran los benefactores de su hogar, porque esta es el área de las bendiciones celestiales y representa el liderazgo. No es aconsejable situar al dragón en un baño, en los closets, en la cocina o en el garaje, puesto que son áreas de baja energía. Igualmente evite ponerlo demasiado alto; lo ideal es que esté a la altura de los ojos.

Para las largas jornadas de trabajo

La oficina es el sitio donde se espera que usted cree, se inspire, promueva excelentes ideas y dé lo mejor de sí para efectuar un buen trabajo. Si por el contrario su jornada transcurre tratando de manejar el estrés y la frustración, deberá tomar un poco de tiempo para inyectarle una pequeña dosis de Feng Shui buscando incrementar su energía y productividad, crear un ambiente laboral más placentero, mejorar el estado de ánimo de sus empleados, colegas y clientes y, por lógica, hacer que su sitio de trabajo sea agradable, atrayente y generador de riqueza.

Así que, sin importar que esté ubicado en un cubículo o en una imponente oficina tipo ejecutivo, cuide con esmero los pequeños detalles que a menudo marcan las grandes diferencias:

No permita que la polución se adueñe del espacio. Si no hay ventanas que se puedan abrir o sitio donde colocar una frondosa planta, utilice un difusor de aromas para que el olor de aceites esenciales como el de mandarina, naranja, o eucalipto cree una atmósfera vibrante y energizada.

No aglomere documentos y artículos de trabajo sobre su escritorio, pues produce bloqueos energéticos.

No descuide el manejo de sus archivos. Trátelos con respeto porque ellos contienen el pasado, el presente y el futuro de su negocio.

No conserve nada viejo o cosas que le traigan malos recuerdos, por ejemplo un reporte que su jefe le haya criticado.

Evite el desorden y la suciedad. Oculte el cableado y cualquier equipo de oficina averiado o en desuso, porque produce una sensación de caos y descuido, además de frenar el flujo normal de energía.

En lo posible procure no ubicar flores disecadas porque impregnan el ambiente de energía yin. Lo ideal es colocar flores frescas a la entrada, teniendo cuidado de cambiarlas tan pronto se marchitan y cambiarles el agua a diario.

Jamás tolere que las discusiones acaloradas, las palabras soeces o los disgustos, bien sea provocados por usted o por personas ajenas, vicien de energía negativa su entorno laboral. Si se llegasen a presentar, haga inmediatamente este ritual: ponga un vaso de vidrio y mucho hielo en su escritorio para restablecer la armonía; cuando se derrita el hielo bote el contenido por un desagüe.

Recuerde que si la gente percibe una agradable sensación de bienestar desde el momento que entra a su oficina, tendrá una inmensa posibilidad de atraer riqueza y reconocimiento, bien a su posición laboral o bien a su negocio.

PARA ACTIVAR LAS COMISIONES EN EL TRABAJO

Para todas las personas que trabajan ganando comisiones o bonificaciones por sus ventas, es bueno colocar encima de su escritorio o en el piso una figura de un sapo de tres patas para generar dinero. Tenga en cuenta que la cara del sapo siempre debe estar entrando al lugar, nunca mirando la puerta de la oficina de afuera.

Sapo de tres patas

DESPUÉS DE UNA LARGA REUNIÓN

Cuando se ha tenido una larga reunión en el trabajo rodeada de gente hostil y ventajosa, se agotará su energía y se sentirá exhausto. Cuando llegue a su casa en la mesa de noche debe situar un vaso con agua y tres cucharadas de sal marina. Déjelo durante toda la noche limpiando su campo áurico de todas las energías negativas que trajo durante el día. Cuando se levante retire el vaso y bote en el desagüe del baño esta agua con sal. Puede hacer este ritual cuantas veces sea necesario.

Mujeres políticas o ejecutivas

Si usted es una mujer ejecutiva o ejerce un cargo político importante, siga esta recomendación para activar nuevas oportunidades en su campo laboral y tomar ventaja sobres sus oponentes. En el punto cardinal Suroeste de la oficina o del escritorio ubique una fotografía o un cuadro con nueve pavos reales; estos animales la ayudarán a activarle toda la suerte del mundo.

Para incrementar la autoridad

Si desea ser una persona con más autoridad, firme en sus decisiones, que refleje don de mando, que no titubea cuando da una orden, debe vestir con color blanco y utilizar accesorios de elemento metal como collares, broches, aretes, pulseras, relojes metálicos, hebillas de las correas o mancornas, que le ayudarán a reforzar su energía para fortalecerla.

Plantas en el Suroeste

En el Suroeste, área de las relaciones, máximo puede tener dos plantas y deben ser de hoja redonda u ovalada. Las mejores son las carnosas como las suculentas, y evite las hojas delgadas o puntiagudas. Si usted tiene más de dos plantas debe retirar las sobrantes porque traen un efecto negativo en sus relaciones: pueden activar disociación en las relaciones en el trabajo, peleas con la pareja y mala comunicación con su círculo social.

Cuando quiera acelerar el retiro

Cuando ya se sienta cansado de trabajar y quiera bajar el ritmo, siéntese en el sector Oeste de la oficina, que es por donde se oculta el sol, la energía más yin; esta posición acelera la etapa de la jubilación. Y en el Oeste de su casa ubique una fotografía o un cuadro de un atardecer.

Espejos para los negocios

Los espejos tienen el efecto de duplicar, por eso traen enormes beneficios en los negocios como tiendas, restaurantes, discotecas y bares, ya que activan la energía yang generada por la entrada de los clientes. También es muy bueno ubicar un espejo reflejando la caja registradora para duplicar las ventas y la entrada del dinero.

Documentos quietos

Cuando comienza a guardar en cajones papeles que no va a volver a usar y que no tienen ninguna información importante, y no saca el tiempo para separar ni para botarlos, estanca la energía y puede causar problemas y enredos en su vida laboral. Mantenga todo ordenado, trate de revisar los documentos regularmente y sacar lo que no necesita para que la energía fluya.

Cómo elegir un maletín

Cuando su actividad laboral requiere llevar consigo un maletín de trabajo, es bueno que lo elija de color negro, que representa el elemento agua y significa fluidez en el dinero y aumento de ingresos. No importa el material del maletín siempre y cuando esté en buen estado.

Tarjeta de presentación

Cuando diseñe su tarjeta de presentación tenga en cuenta que su nombre siempre quede encima o a un lado del nombre de la compañía para que no esté siempre sobrecargado de trabajo. No utilice letra cursiva pues no todo el mundo la lee con facilidad, ni letras que parece que se fueran a derrumbar en cualquier momento, porque no dan estabilidad. Utilice el mismo tipo de letra para todo lo que quiera escribir, no incluya mucha información en la tarjeta y asegúrese de que quede un texto limpio, pues lo puntual es más fácil de recordar. Como se suele decir: menos es más.

Colores para los logos

Cada actividad laboral tiene unos colores que le favorecen para su crecimiento y expansión, para activar ventas, para todo lo que es imagen corporativa y tarjetas de presentación. Escoja el que más le guste, no necesariamente tiene que incluir todos los colores.

Negocio o actividad	Colores
Arquitectura	Multicolor.
Derecho (firma de abogados)	Verde, amarillo, gris, plateado, dorado.
Almacén de ropa	Multicolor.
Agencia de viajes	Azules, negro, verde, rojo.
Bares y discotecas	Negro, azul, verde, dorado, plateado, cobrizo.
Contaduría pública	Verde, azul, negro, amarillo.
Corredores de bolsa	Azul, verde, negro, rojo, naranja.
Diseño y publicidad	Verde, rojo, azul, negro, amarillo primario.
Decorador	Multicolor.
Editorial	Naranja, rojo, morado, azul, verde, negro.
Ferreterías	Blanco, gris, amarillo.
Galerías de arte	Multicolor.
Ingenieros	Turquesa, verde, negro, gris, dorado.
Inmobiliarias	Amarillo, terracota, rojo, morado, naranja.
Joyería	Turquesa, blanco, beige, dorado, plateado.
Médicos	Blanco, azul, verde, negro.
Muebles	Rojo, morado, azul, negro, verde.
Productos naturales	Verde, azul, rojo y morado.
Papelerías	Azul oscuro, turquesa, negro, verde.
Peluquería	Blanco, negro, amarillo, café.

ESCRITORIO CIEMPIÉS

Cuando hay escritorios ubicados de manera que las personas están sentadas en forma de ciempiés, es decir una mesa de trabajo detrás de otra formando dos filas, se activan chismes, celos laborales y desacuerdos. Hay personas más vulnerables que otras a estos ataques de energía; para contrarrestarlos ubique cerca a usted en el escritorio la figura de un gallo para tener el control de la situación o un buda dorado vestido de rojo mirando hacia la dirección de la persona que usted sabe o sospecha que lo está perturbando y causándole problemas.

SALA DE REUNIONES

Si quiere una reunión tranquila, que los temas a tratar evolucionen favorablemente y que no se presenten discusiones acaloradas, las mejores mesas para la sala de reuniones son de forma ovalada o redonda, pues estimulan la creatividad y la comunicación.

INMOBILIARIAS

Para incrementar las ventas de un inmueble o alquiler, ubique en la oficina en el punto cardinal Suroeste y Noreste un gran cuarzo citrino para estimular la energía de la tierra.

ADICCIÓN AL TRABAJO

Si usted es de esas personas que les gusta trabajar mucho, ubíquese en un ángulo del sector Sureste de la oficina. Este punto cardinal corresponde al elemento madera, que es una energía en crecimiento y hace que usted esté activo en todo momento.

LUZ DETRÁS DE UN ESCRITORIO

La luz de su escritorio nunca debe estar detrás de usted iluminando su espalda, pues esto activa deslealtad y traiciones, o que la gente murmure negativamente. La luz siempre debe estar de frente a su escritorio, esto permite que sea una oficina bien iluminada y se beneficie de esta energía yang.

FOTOGRAFÍA DEL FUNDADOR

En la pared Noroeste de la oficina o del vestíbulo de entrada cuelgue la fotografía del fundador o los fundadores de la compañía, esto hace que se active la buena suerte de la empresa y siga teniendo solidez y respaldo económico.

PROTECCIÓN PARA EL TRABAJO

Para evitar la mala suerte en los negocios ubique en el sector Sur de su local u oficina un cuadro o fotografía de muchas aves volando. Para evitar los chismes y los celos laborales ubique encima de su escritorio o en el punto cardinal Oeste la figura de un gallo.

RECOMENDACIONES PARA EL DINERO

La sal marina contiene potentes energías que estimulan la evacuación de las energías negativas y a la vez aportan las buenas energías, que no solo otorgan grandes propiedades sanadoras y purificadoras sino también la capacidad de atraer riqueza. Este tipo de sal natural (no la sal común o de mesa) ha sido utilizada por los chinos desde la antigüedad y los maestros practicantes de Feng Shui milenariamente han recomendado su uso como una extraordinaria ayuda no solo para liberarse del *chi* dañino sino también para atraer buena suerte, riqueza y armonía.

RITUALES PARA ATRAER EL DINERO

RITUAL PARA CAPTAR DINERO EN EFECTIVO CUANDO NO TIENE UN BUEN FLUJO DE CAJA

El primer o segundo día de luna nueva, tome una pequeña bolsa de plástico con cierre hermético e introduzca en ella una cucharadita de sal marina. Cierre perfectamente la bolsita, guárdela bien en uno de los compartimientos de su cartera, billetera o el sitio donde usted guarda el dinero y anote en su agenda la fecha de inicio del ritual. De esa fecha en adelante, cada mes deberá reemplazar el contenido de la bolsita para asegurar la potencia de la sal. Realice este ritual hasta que se normalice la entrada de su dinero.

RITUAL PARA AGILIZAR LAS VENTAS

Antes de hacer un ritual se debe pedir permiso a la Corte Celestial para que "me acompañen y me iluminen". Inmediatamente después informe la intención por la cual va a efectuar el ritual.

Igualmente debe tener presente que no es conveniente hacer rituales el último día de cuarto menguante (luna negra) porque no funcionan y atraen situaciones negativas, como tampoco el primer día de luna nueva, cuando hay oscuridad total.

El siguiente ritual está indicado para llamar clientes a comprar un predio, como también para que lleguen clientes cumplidos a consumir dentro de un establecimiento (tienda, bar, almacén, etcétera).

Tomar un puñado de arroz en la mano, pararse en cualquier parte del predio o local y mientras dice "Estoy llamando a los clientes del Sur" arrojar hacia arriba y en la dirección Sur algunos granos de arroz. Girar luego hacia la dirección Norte y arrojar hacia arriba en esa dirección otro poco de granos repitiendo "Estoy llamando a los clientes del Norte". Girar enseguida hacia la dirección Este y arrojar hacia arriba en esa dirección otro poco de granos de arroz repitiendo "Estoy llamando a los clientes del Este". Girar finalmente hacia la dirección Oeste y arrojar hacia arriba en esa dirección los últimos granos repitiendo "Estoy llamando a los clientes del Oeste".

Si es campo abierto el arroz puede quedar en el sitio para que sirva de alimento a las aves. Si es un sitio cerrado el arroz se debe recoger tres horas después de efectuado el ritual.

RITUAL PARA INCREMENTAR LA RIQUEZA

Consiga un recipiente grande de cerámica, de porcelana o de metal que sea de su total agrado, muy bonito y elegante. Ubíquese en la sala principal o sala de estar, llénelo con muchas cosas que representen riqueza como monedas que estén en circulación, cristales o vidrio con corte de diamante, una representación o imitación de lingotes de oro, piedras semipreciosas como cuarzos de amatista, jaspe, turmalina negra, azulina o amazonita, entre otras, o puede también incluir joyas de fantasía. Una vez a la semana girar el recipiente en su propio eje para así mover la energía, y esté pendiente de que siempre esté muy limpio. La mejor forma de conseguir más dinero es gastando con generosidad, pues ser tacaño con usted mismo y con los demás hace que su dinero se estanque.

RITUAL PARA LA ABUNDANCIA

La calabaza es un fruto que se considera símbolo de abundancia, cuando se ubica en el punto cardinal Sureste atrae la riqueza y la llegada del dinero, y activa la suerte para las generaciones futuras. Cuando se ubica encima de la mesa del comedor es para que siempre haya suficiente alimento para todos los habitantes de la casa.

Sapos o ranas en su jardín

Los sapos o las ranas que viven en su jardín atraen muy buena suerte para todas las personas que moran en la casa. Cuando llegan de sorpresa a la casa es porque viene una buena suma de dinero o va a aparecer un dinero que se creía perdido. Los sapos también protegen de cualquier energía negativa.

Luces parpadeantes

Las luces titilantes se consideran en el Feng Shui como activadores de energía para atraer nuevos clientes e incrementar la actividad. Es bueno incluirlas en la decoración de los restaurantes, bares y discotecas.

RECOMENDACIONES DE CÓMO USAR EL AGUA PARA ATRAER LA SUERTE

En el Feng Shui el agua es representación de prosperidad, abundancia, vida, movimiento y fluidez de los ingresos. Cuando este elemento se sabe ubicar trae éxito a la nueva generación de la familia, mejora la salud de las personas mayores y trae armonía al hogar. El agua limpia tiene el poder de atraer nuevas oportunidades, mientras que el agua sucia estancada no deja que esta energía fluya. Hay que tener en cuenta que donde hay agua, hay vida.

BARCOS PARA ATRAER EL ÉXITO

Para atraer abundancia y prosperidad tanto a su hogar como a su negocio, luzca un barco de vela entrando al sitio desde su mejor dirección por número Kua o cerca a la puerta principal. Asegúrese de que su diseño sea de un buen tamaño y de un navío fuerte con flamantes velas desplegadas al viento, como los utilizados por los antiguos mercaderes chinos que llegaban al puerto cargados de oro y riqueza, no un velero deportivo y menos aún un buque con cañones porque lo que usted necesita es un buque mercante, no un barco de guerra. Haciendo acopio de su creatividad y buen gusto, engalane ese barco con cadenas de oro y collares de perlas. Llénelo con símbolos de riqueza incluyendo lingotes de oro, monedas chinas doradas, piedras semipreciosas, monedas en circulación de diferentes países y, si ha recibido dinero de una persona honorable y adinerada, incluya algunas de esas monedas en su barco. Coloque el barco ya debidamente engalanado sobre una mesa que quede cerca a la entrada principal de su casa o negocio, teniendo cuidado de posicionarlo de forma que el barco esté entrando (no saliendo), y cada vez que pase frente a él piense: "Este barco de la riqueza está trayendo a nuestra vida éxito, abundancia y prosperidad, nuevos proyectos y nuevas oportunidades".Y si desea colocar varios barcos en su oficina, hágalo; cada buque significa una fuente de ingresos y muchos buques representan muchas fuentes de ingreso, convirtiendo su oficina en un prolífico y bullicioso puerto.

AGUA PARA BENEFICIO DE LA FAMILIA

El agua ha tenido siempre una pujante representación de bonanza para los chinos, simbolizando el flujo de caja en el hogar y el éxito en los negocios; de hecho, el agua es una de las más potentes fuerzas de la naturaleza. Son muchas las inquietudes en cuanto a la ubicación de los distintivos de agua en el hogar. Las preguntas más frecuentes son sobre dónde situar una fuente, un acuario, cortinas o pisos de agua, tanto al usarlos como activadores de la riqueza y prosperidad, como al utilizarlos como curas para determinadas aflicciones del año.

Pero lo que siempre se debe tener en cuenta es que cualquier distintivo de agua debe colocarse en los sectores adecuados del hogar y la oficina. En el Este y el Sureste, el agua trae crecimiento a la entrada de dinero, activa las ventas para los comerciantes. Cuando se ubica en el Norte favorece a los profesionales en su actividad laboral para sus ascensos y buena remuneración, así como a todas las personas que quieren conseguir un buen empleo. Para este periodo actual, es decir, el 8 que va desde el 2004 hasta el año 2024, se puede ubicar en el Suroeste, para poder conquistar sus múltiples beneficios, entre los cuales están la mejora de la salud de las personas mayores de la familia, una mejor suerte en la educación para los hijos, más unión entre todos los residentes, y lo más importante: que el patriarca se vea favorecido tanto en el aspecto comercial como en el laboral, lo que redunda en prosperidad para toda la familia.

Si su intención es atraer suerte de riqueza y bienestar, lo indicado es que el agua fluya y tenga movimiento, y una de las buenas formas de lograrlo es utilizando una fuente decorativa que preferiblemente tenga luz. El constante movimiento del líquido es una representación del perpetuo ondear de buen *chi* en el entorno, al igual que del continuo movimiento y fluidez a la entrada del dinero para toda la familia.

Recuerde, no es aconsejable colocar un distintivo de agua dentro de su habitación de dormir (sin importar en qué área de su hogar esté ubicada su habitación). El elemento agua dentro de una habitación de dormir atrae la energía de pérdidas financieras, pérdida de relaciones, improductividad, que el tiempo no alcance y problemas de salud. Así mismo, al colocar un distintivo de agua cerca a la entrada de la puerta principal de su casa u oficina, asegúrese de ubicarlo al lado izquierdo (cuando usted está parado mirando de adentro hacia afuera). Cuando el distintivo de agua se sitúa al lado derecho, el socio, compañero o cónyuge masculino a menudo pierde lealtad y tiende a volverse embustero, tramposo e infiel.

CASCADAS PARA LA RIQUEZA

Si tiene un jardín, en el punto cardinal Norte puede construir una cascada, teniendo en cuenta que la caída del agua siempre fluya hacia adentro de la casa para atraer la prosperidad y la buena salud, pues si la caída del agua queda hacia la calle le traerá pérdidas económicas. El mejor que el sonido de la cascada sea suave, que no haga mucho ruido al caer, y que el movimiento del agua sea lento.

ACUARIOS PARA LAS VENTAS

Para activar las ventas de su negocio, ubique en el sector Norte o Sureste un acuario muy bien iluminado con muchas burbujas y en lo posible, sin peces. Pero si lo desea y los va a cuidar muy bien, puede tener en él ocho peces rojos y uno negro.

CASCADAS Y FUENTES DE AGUA

Es de vital importancia que las cascadas y fuentes de agua estén en buen estado, nunca deterioradas; que el agua circule fácilmente y su caída o fluido sea suave, y que siempre esté limpia y bien filtrada. Sugiero que coloque luces y plantas adentro. Cuando construya una cascada o estanques en el jardín es de muy buena energía poderlos ver desde adentro de la casa, y es de buen auspicio que en los estanques vivan peces como arowana, siempre en número impar, peces dorados en múltiplos de 9 y un solo pez negro para representar el yin y el yang, así como muchos olominas —también llamados *guppies*—, de cola en abanico, pez carpa o el koi. Todos estos tipos de peces crean una energía yang que atrae muy buena fortuna y una gran cantidad de oportunidades.

LO QUE NUNCA DEBE HACER CON EL AGUA

Nunca debe colocar agua en las habitaciones de dormir como cuadros de río, mares, cascadas, fuentes o acuarios, porque activa la improductividad. En la puesta del sol nunca debe cavar un hueco para hacer un pozo, un estanque o el hueco para la piscina, pues si se hace atrae energía yin, que es la energía más lenta, y todas las oportunidades de dinero llegan muy lentamente a sus ocupantes.

Nunca en una casa ya terminada y ocupada se debe cavar un hueco para un estanque o piso de agua o cascada, esto trae pérdidas económicas, solo se puede hacer un hueco adentro de la casa cuando apenas se va a crear una construcción nueva. Es un gran error construir un paso de agua entrando y saliendo por la sala-comedor y otros espacios de la casa; aunque está muy de moda, se lleva la prosperidad y la riqueza de la familia.

Cuando construye un estanque poco profundo, significa que la riqueza no perdura en la familia, por eso debe tener buena profundidad, medida al nivel de la cintura del patriarca. Se dice que al construir el estanque con profundidad en el agua, más profundo se llenarán los bolsillos de dinero y la prosperidad perdurará para todos los ocupantes de la casa. No debe tener los peces enfermos o descuidados, pues traerán energía de estancamiento. Tampoco es recomendable tener cuerpos de agua desocupada, ya que es como desocupar los bolsillos.

LOS SITIOS MÁS AUSPICIOSOS PARA EL AGUA

AGUA EN EL SECTOR ESTE

Favorece a toda la familia y su nueva generación. El agua rige la buena salud para todos los ocupantes de la casa. Cuando se coloca en el Este debe ir acompañada de plantas con hojas redondas y gruesas, pues se dice que atraen el dinero.

AGUA EN EL SECTOR SURESTE

Este punto cardinal representa riqueza y solidez económica. Ubicar una fuente de agua en el rincón Sureste del jardín es muy beneficioso. También puede tener estanques de agua llenos de flores acuáticas, y dentro de su casa puede ubicar una pequeña fuente de agua en este mismo punto cardinal para hacer fluir el dinero y los proyectos nuevos.

AGUA EN EL NORTE

El efecto del agua en el Norte se potencializa porque este es el lugar que le corresponde a este elemento. El agua aquí mejora el crecimiento profesional y la calidad de vida de los ocupantes, de forma que la suerte en el trabajo nunca se verá bloqueada. Los acuarios y estanques con peces bien cuidados con su agua limpia crean una valiosa energía yang.

AGUA EN EL SUROESTE

En este periodo de veinte años que inició en febrero de 2004 y termina en febrero de 2024 puede colocar distintivos de agua en el Suroeste, pero se permite solo en este periodo. Al utilizar agua en este sector, debe hacerlo en un recipiente circular, que significa el espíritu del Cielo en unión con la Tierra. Puede tener peces de colores o plantas con flores como el loto, y para potencializar la energía ponga cerca la figura de un dragón, que activa las buenas relaciones personales, profesionales y comerciales, y hace que el dinero comience a fluir para los ocupantes de la casa.

AGUA YIN, AGUA YANG

Para la creencia filosófica china del Feng Shui todo es un equilibrio del yin y el yang. Para crear la armonía en el espacio, en esta ciencia siempre está buscando que el yin y el yang estén en un buen balance, por eso es importante saber distinguir las dos fuerzas del agua para poder sacarle el máximo provecho.

Agua yin se identifica con agua quieta como en jarrones o en boles de vidrio o de piedra, donde el agua no fluye cuando no hay movimiento, y por lo tanto no hay activación de la energía, no hay fuerza vital. Esta agua sirve para corregir o curar una aflicción del espacio.

El agua yang por lo general es la que está en movimiento, es limpia, transparente, con movimientos suaves y lentos, como en las fuentes, los acuarios con motor para que circule y oxigene, las cascadas, los ríos, los estanques que tienen vida o los lagos y arroyos.

Otra forma de ver el yin y el yang en el agua es cuando un estanque o fuente tenga equilibrio entre la luz del día que penetre en el agua, que es la energía yang, y la sombra hecha con plantas, un techo o con un árbol cercano, que logra el efecto yin.

FORMA DEL ESTANQUE

Es muy auspicioso construir un estanque en forma serpenteante porque representa el elemento agua, o también en forma circular porque representa el metal. En el ciclo constructivo de los elementos el metal genera agua, la cual fortalece el empleo cuando se construye en el sector Norte, mientras que en el punto cardinal Este y Sureste su forma debe ser rectangular. Evitar las formas triangulares porque representan el elemento fuego.

FUENTES DE AGUA

Estas fuentes se utilizan mucho para decorar edificios, empresas o casas. El movimiento del agua debe ser suave, es mejor si el agua sale desde el piso. Es ideal que siempre estén muy bien iluminadas, y es excelente cuando se construyen enfrente del edificio porque disuelven cualquier energía nociva del vecindario o agresiones de otras construcciones como los filos. Las fuentes pequeñas para la parte de adentro de la casa deben ser proporcionales al sitio donde se ubican, preferiblemente que tengan una esfera giratoria para darle un vuelco a la suerte. Estas fuentes son también muy auspiciosas para atraer ingresos extras e incremento del dinero.

LOS ACUARIOS

Una de las preguntas más frecuentes que recibo es sobre dónde ubicar los acuarios. Los puntos cardinales más adecuados para colocarlos son: el Norte, el Este, el Sureste y el Suroeste. Nunca pueden ir debajo de una escalera porque los hijos tendrían dificultad para seguir adelante con sus proyectos, ni deben ir en las habitaciones porque activan la improductividad. Los peces siempre deben estar muy bien cuidados y sanos, y el agua siempre debe estar muy limpia. Si se muere uno o varios peces no se preocupe, los chinos creen que cuando esto sucede es porque los peces se han llevado alguna energía negativa que llegó a su casa, o lo protegieron de algún incidente negativo como un accidente, una pérdida económica o un robo. También tienen la creencia de que se llevaron al morirse algún karma negativo suyo, por eso antes de botarlos se les debe agradecer por haber recogido esa energía nociva.

Agua antídoto para tranquilizar

El agua es un excelente antídoto para tranquilizar los lugares donde se presentan disgustos, especialmente si utiliza agua yin (agua quieta). Si ha tenido altercados con su esposo/a o con algún ser querido, puede proporcionar más potencia al agua yin con la energía lunar. Coloque un recipiente con agua en su balcón o jardín durante la noche de luna llena, permitiendo que el agua absorba la energía de la luna. A la mañana siguiente vierta esa agua en atrayentes jarrones, vasos o floreros y ubíquelos en diferentes sitios de su casa, convirtiendo así estos recipientes en "guardianes de la paz" del hogar. Cuando sienta que los ánimos se han apaciguado bote esa agua por un desagüe. No sitúe el agua dentro de las habitaciones para dormir, pues trae improductividad, excepto el vaso de agua que usted acostumbra tomar en la noche.

Las bañeras para pájaros

Las bañeras para los pájaros son distintivos de agua que activan la energía de la prosperidad y dinero. En su jardín los puede colocar en el Norte, el Este, el Sureste o el Suroeste. Siempre debe mantener el agua limpia y si es necesario reemplácela todos los días. Mientras más pájaros visiten su jardín y la bañera, más se activa la suerte para todos los ocupantes de la casa.

ESPEJO PARA REFLEJAR EL AGUA

Si vive al frente del océano, de un río, de un lago, y desea activar la riqueza y prosperidad para la familia, invite al elemento al interior del hogar colgando en la pared opuesta del paisaje un espejo que refleje el agua.

Los rituales que no pueden faltar

Ritual de cumpleaños

El día de cumpleaños, fecha en la que se conmemora nuestro nacimiento, debe ser utilizado como una ocasión especial para generar un cambio energético en nuestra vida, no esperando solo recibir sino también compartiendo por voluntad propia y con genuino agrado alimentos, bebidas o simplemente golosinas, puesto que por ley universal "quien da, recibe". Es más, si por una situación específica se ve obligado a estar solo, debe invitarse a usted mismo a celebrar su cumpleaños, bien sea con una comida o con una simple copa de vino, agradeciendo al Universo el milagro de la vida.

Ya que este es un día especial, regálese un baño ritual que propicie el cambio energético que anhela.

Consiga:

- 1 manojo de albahaca.
- 1 manojo de menta.
- 1 manojo de hierbabuena.
- 1 manojo de manzanilla.

- 3 manzanas rojas.
- 4 centímetros de jengibre.
- 1 cucharadita preferiblemente de miel de purga (si se le dificulta utilice miel de abejas).
- 1 botella pequeña de champaña dulce.

Coloque al fuego un recipiente con agua suficiente para su baño y vierta en él las tres manzanas rojas cortadas en casquitos junto con los cuatro centímetros de jengibre. Deje hervir las manzanas y el jengibre durante cinco minutos, luego apague el fuego y vierta inmediatamente en el agua todas las hierbas y la miel. Tape el recipiente para crear una infusión. Cuando el agua esté tibia cuele el contenido y agregue la champaña dulce.

Bañe normalmente su cuerpo. Encienda una vela de color naranja haciendo la petición de todo lo bueno que desee obtener en el nuevo año de vida que recién inicia y proceda a bañarse con la mezcla de agua desde la nuca hacia abajo visualizando todo lo positivo que anhela recibir. Luego enjuague todo su cuerpo, séquelo normalmente y proceda a disfrutar de su maravilloso día.

Al momento de compartir la usual torta de cumpleaños con los invitados asegúrese de que antes de soplar la vela y mientras le cantan el Feliz Cumpleaños sus acompañantes estén de frente a usted para lograr que el *chi* positivo que inunda el ambiente se transmita a todos los presentes.

Lo ideal es efectuar tanto el ritual como la celebración el día exacto del cumpleaños. Si por algún motivo se le dificulta, puede hacerlo con uno o dos días de antelación, pero no lo haga después de la fecha. Ancestralmente los chinos consideran como un augurio poco positivo celebrar posteriormente esta magna fecha.

RITUAL DE PROTECCIÓN
CONTRA LA ENERGÍA YIN DE LOS DIFUNTOS

En Colombia existe la tradición de celebrar el día de los Fieles Difuntos, celebración con una connotación de ritual religioso íntimo y asociado con el dolor, pues su objetivo primordial es rogar por el eterno descanso de las almas de los familiares, amigos y conocidos fallecidos. Esta tradición tiene profundas raíces en Iberoamérica y anualmente se celebra el segundo día del mes de noviembre. En esta celebración México muestra facetas de su folklor que solo se ven en esta época del año: no pueden faltar el "pan del muerto" que se consume en los banquetes y las calaveras de azúcar para regalar a las amistades. En Guatemala decoran los altares, las casas y los sitios donde se reúnen las familias con la típica Flor de Muerto que solo florece en esta época. En las zonas rurales de Perú creen fielmente que las almas de los muertos regresan para disfrutar de los altares que en su honor preparan en las casas y de las ofrendas que llevan sus familiares al cementerio, las cuales incluyen comidas y objetos que reflejan algún aspecto de la vida de la persona fallecida. Rituales similares se llevan a cabo en muchos otros países.

Siguiendo el calendario lunar, durante el periodo comprendido entre el 14 de agosto y el 12 de septiembre de cada año la energía yin subyuga a la energía yang. La diferencia de fuerzas es tan grande que la energía domina el entorno, atrayendo a los fantasmas y espíritus vagabundos que prosperan en este tipo de ambientes. Según la tradición china, solo durante este periodo el rey del inframundo abre las puertas del infierno para permitir que los fantasmas visiten el mundo, por lo tanto es la única época del año en que los espíritus pueden vagar libremente por la Tierra y saciar su hambre y su sed reprimidas. Pero es muy importante prestar atención a este período de energía yin, especialmente durante las horas nocturnas, pues lo que ellos denominan "fantasmas hambrientos", que por su naturaleza solo logran alimentarse con el olor del humo del incienso y con el aroma de los alimentos, pueden fácilmente importunar a las personas cuya energía vital está baja o agotada y generarles enfermedades, debilidad o cansancio, así como afectar la paz de los hogares trayendo discusiones acaloradas.

Para proteger el hogar y protegerse a sí mismo de esta energía, haga el siguiente ritual:

Al atardecer, justo después de la puesta del sol, haga un sahumerio con varas de incienso de sándalo o el de su preferencia. Recorra las habitaciones de su hogar en el sentido de las manecillas del reloj de izquierda a derecha y también por fuera de la casa, brindando una plegaria de acuerdo a sus creencias mientras hace el recorrido. Esta ofrenda no solo sirve para apaciguar a los espíritus errabundos, sino también para agradar a los seres de luz que lo acompañan. Haga este sahumerio dos o tres veces por semana durante este período.

Como ofrenda a los difuntos prepare en este tiempo para su consumo familiar alimentos que despidan mucho aroma, y mientras los esté cocinando ofrezca esa fragancia a los espíritus errabundos para que coman y agradecidos se vayan a descansar. Ofrezca diariamente una oración por el descanso de las almas de sus seres queridos fallecidos.

Durante este periodo vístase con colores brillantes, evite el negro y el gris y también haga sonar en su casa u oficina música suave.

Incremente sus medidas de seguridad, maneje con especial atención y no exceda los límites de velocidad. No se bañe en la piscina ni transite solo durante la noche, porque la energía yin está en toda su potencia y podría ocasionar accidentes. Puesto que este es un período excesivamente yin, los chinos evaden a toda costa efectuar mudanzas, apertura de nuevos negocios y bodas.

RITUAL PARA CELEBRAR EL EQUINOCCIO DE PRIMAVERA

El equinoccio de primavera es uno de los dos días del año en el que la Tierra goza de doce horas de luminosidad y doce horas de oscuridad, casi siempre es el 20 o 21 de marzo y en la filosofía del Feng Shui representa un cambio en el que al quedar atrás el frío del invierno con su energía Yin, entra la energía Yang a dar inicio a un nuevo ciclo de crecimiento y expansión. Es un día en el que se goza de un perfecto equilibrio entre el yin y el yang, por lo cual es bueno desalojar la energía estancada que usted haya dejado acumular en su entorno.

Este ritual lo acondiciona para dar la bienvenida a esta nueva energía de renacimiento y poder emprender nuevos proyectos y cambios que tiene en mente, buscando siempre el progreso y la realización de los sueños.

Consiga:

- 1 taza de agua de coco: por algo al árbol de coco lo llaman el "árbol de la vida".
- 1 manzana roja partida en cuatro.
- 1 manzana verde partida en cuatro. Sirve para renacer en primavera; provee alimento durante el invierno y ayuda al logro perdurable de las metas.
- ¼ de sandía: atrae amor y nuevas amistades.
- ¼ de melón: aleja las envidias y atrae prosperidad.
- 1 cucharada de orégano (fresco o seco): desbloquea, representa al elemento fuego.
- 8 almendras trituradas: activan la bonanza de dinero y el éxito en inversiones comerciales.
- 1 flor de girasol o 12 semillas de girasol de las comestibles: agiliza el renacimiento, la fertilidad de los deseos y la sabiduría.
- 3 cucharadas de avena: atrae riqueza y bienestar.
- 4 cucharadas de vinagre blanco: elimina las energías nocivas.
- 3 cucharadas de miel de abejas (o miel de caña, también llamada miel de purga o melaza): puri-

fica, apresa y endulza las relaciones familiares y
sentimentales.

- 3 astillas de canela: activa el poder de seducción,
atrae la suerte en el amor, en el trabajo y en las
relaciones.

Vierta todos los ingredientes en una olla, agregue un litro
de agua y caliente la olla al fuego hasta que hierva. Espere
cinco minutos, apague el fuego, deje reposar el contenido
y luego cuélelo. En el momento que disponga de tiempo y
tranquilidad, báñese normalmente, luego proceda a aplicar el
preparado suavemente sobre su cuerpo de abajo hacia arriba,
y déjelo unos cuantos minutos mientras visualiza todos los
cambios positivos que anhela lograr. Enjuague su cuerpo dando
gracias al Universo.

Engalane su hogar con vistosas flores, adorne el comedor
con suculentas frutas para compartir amigablemente con familiares y amigos y dispóngase a sacar provecho de los mensajes
de renacimiento, renovación y resurrección que le otorga la
estación primaveral.

En Feng Shui el Este (Oriente) es el área de la familia y el
punto cardinal que le corresponde a la primavera. Durante
el día, encienda en esta área de su hogar velas pequeñas y de
color amarillo o naranja con la intención de mantener la familia unida en amor y en armonía, lograr sus nuevas metas o las
que aún no ha completado, y cumplir felizmente los anhelos y
proyectos que tiene en mente.

Ritual para celebrar el solsticio de verano

A partir del 20 de junio empieza el balance de la luz, que es el yang, con la oscuridad, que es el yin. En esta etapa, que comprende la tercera estación del año, es cuando la temperatura sube, el sol brilla más y los frutos comienzan a retoñar. Son meses muy emocionales, pero trate de mantener el control. Aproveche esta nueva etapa para iniciar nuevos proyectos y culminar todas sus metas. El balance viene con el yin, porque el Universo siempre crea un buen equilibrio. La oscuridad del yin sirve para gestar y programar todo lo que quiera hacer de aquí en adelante.

Para activar su campo áurico hágase el siguiente baño. Consiga:

- 3 hojas de laurel, que atrae protección.
- 1 cucharadita de polvo de canela para conseguir el éxito.
- 1 cucharadita de miel para atraer todo lo que desea.
- 1 cucharadita de jengibre para atraer dinero, amor y poder.
- 1 manojo de hierbabuena para activar los viajes y las personas que lo ayudan y colaboran.
- 1 manojo de manzanilla para activar la entrada del dinero y atraer ganancias inesperadas.
- 1 flor de girasol para activar la sabiduría.

Ponga a calentar un litro de agua y cuando hierva agregue todos los ingredientes. Apague la estufa y tape el recipiente hasta que esté tibio, luego cuele el agua y bote las hierbas.

Báñese normalmente y al final aplíquese el baño de hierbas pensando en cómo activar toda su energía para concretar sus metas. Déjelo en su cuerpo por un momento y luego enjuáguelo con abundante agua.

RITUAL PARA CELEBRAR EL EQUINOCCIO DE OTOÑO

El equinoccio de otoño es uno de los dos días del año en el cual la Tierra goza de doce horas de luminosidad y doce horas de oscuridad. El sol alcanza el punto más alto cuando los polos de la tierra están a la misma distancia del sol y eso hace que tengamos la misma cantidad de luz que de oscuridad. Durante esta estación la temperatura comienza a descender, avisando que el invierno está próximo a entrar. Cerca a la fecha del equinoccio, los chinos celebran el festival o el pastel de la luna o fiesta del medio otoño, en el que presentan la danza de dragones o leones y encienden muchas linternas o faroles para desplegar mucha luz.

Es una época de cambios personales, una etapa de decisiones en que no debe postergar más las cosas que debe hacer. Las hojas no se caen, se sueltan de los árboles para dar la capacidad a que salgan nuevas hojas. Esta acción de la naturaleza muestra que se deben soltar los miedos, las zonas de confort y las rutinas que no lo llevan a ninguna parte. En esta época, más que en cualquier otra, usted tiene la energía disponible para aprender sobre sí mismo y hacer un resumen del año para sacar las conclusiones sobre lo que debe soltar.

Este día debe hacer el siguiente ritual. Consiga:

- 1 manojo de menta para aclarar la mente y elevar la energía.
- 1 manojo de perejil, que tiene el poder de limpiar y desbloquear el campo áurico.
- 4 centímetros de jengibre para activar su círculo social.
- 8 clavos de olor para alejar las envidias.
- 1 cucharadita de aceite de oliva, del cual se dice que conecta con la divinidad por venir de un árbol sagrado.
- 1 cucharada de miel de abejas o miel de purga, que sirve para atraer el amor de todas las personas que lo rodean; consagra dulzura y armonía.

Ponga a hervir un litro de agua, agregue todos los ingredientes y deje hervir por cinco minutos. Páselo por un tamiz cuando esté tibio. En la mañana o en la tarde (para que nadie lo interrumpa, ni le suene el teléfono, ni esté a las carreras) proceda a bañarse normalmente, luego aplique este baño de la nuca hacia abajo y con su mano frote hacia arriba. Déjelo un buen momento en su cuerpo y seque después el exceso.

RITUAL PARA CELEBRAR EL SOLSTICIO DE INVIERNO

Es la noche más larga del año, que normalmente cae el 21 o 22 de diciembre en el hemisferio Norte, y el 21 o 22 de junio en el hemisferio Sur. Según la filosofía China, en esa fecha el Yin está en su punto más elevado y la energía en su mínima expresión, porque el Sol está más lejos de la Tierra. Este es un día especial para alejar todo lo nocivo que le pudo suceder durante el año, como las enfermedades, la mala situación financiera, las peleas, un divorcio, la pérdida de empleo, las personas mal pensadas y malintencionadas, las envidias o los chismes; también puede olvidar apegos o relaciones conflictivas, es decir, alejar todo lo negativo que desee, de acuerdo con la situación que se haya presentado.

Para celebrar el ritual consiga:

- 1 papel en blanco.
- 1 esfero de tinta negra.
- 3 varas de incienso del aroma de su gusto.
- 1 carbón vegetal (llamado carbón de palo) o un carbón litúrgico.
- 1 recipiente para depositar el carbón (puede ser de metal o de barro).

Encienda las tres varas de incienso y páselas por las puertas y ventanas para desalojar las energías pesadas. Después, encienda el carbón hasta que se ponga muy rojo. En el papel escriba todo lo que le molesta o todo aquello de lo que se quiere deshacer, como situaciones negativas que haya vivido, y quémelo con el carbón. Mientras lo hace, piense que está erradicando todo lo negativo por lo que ha pasado, como deudas, malas rachas, chismes, falta de empleo, problemas en el trabajo, pereza o falta de voluntad.

Ritual para celebrar el día del Buda

Para los chinos, el 13 de noviembre es el día en que Buda desciende de los reinos celestiales hacia la Tierra, un día en que el karma (acción-reacción) se multiplica cien millones de veces. Como este día el Universo está abierto a recibir nuestras peticiones, debemos aprovecharlo para bendecir nuestro hogar, elevar plegarias de agradecimiento, o efectuar rituales de amor o de prosperidad como encender velas de color amarillo, cuyo color significa el éxito. También se recomienda hacer rituales para activar las comunicaciones, cantar mantras y hacer obras de caridad. Dado que este es un día extremadamente potente, absténgase de emitir conceptos, pensamientos y acciones negativos, puesto que estos también se multiplicarán, y no precisamente para su bienestar.

Ritual para recuperar algo

Cuando sienta la necesidad de recuperar algo valioso que haya perdido, como por ejemplo su autoridad, su buena posición, su buena reputación o un buen ingreso económico, puede efectuar el siguiente ritual taoísta, que es de gran utilidad. Localice un río y ubíquese en la orilla. Procure que la fluidez del agua sea abundante. Aprovisiónese de una razonable cantidad de flores frescas, no importa cuáles, y arroz crudo. Cruce el puente a pie con absoluta determinación de recuperar lo perdido, esparciendo a su paso el arroz y las flores como ofrenda a la energía del agua para que ella se lleve el problema por el que está atravesando. Por ningún motivo debe voltear a mirar hacia atrás mientras realiza la travesía. Una vez cruzado el puente, siga caminando media cuadra sin voltear a mirar hacia atrás.

Organícese de forma tal que al terminar el recorrido alguien lo recoja y usted pueda volver a casa sin tener que atravesar ese mismo puente en que acaba de efectuar el ritual. Esto no significa que nunca pueda volver a transitar normalmente por ese puente, por supuesto luego lo puede hacer.

RITUAL PARA ANTES DE PRESENTAR UN EXAMEN

El siguiente ritual lo energiza positivamente y es ideal para los estudiantes que vayan a presentar exámenes, tesis, proyectos o exponer ante un auditorio.

Tome un cuarzo, no importa el color, una bola lisa de cristal o una esfera facetada y energícelo de la siguiente forma: lávelo, sumérjalo en un recipiente de vidrio con agua y sal marina y déjelo todo un día y una noche dentro del agua. Transcurrido el tiempo sáquelo, enjuáguelo con abundante agua caliente debajo de un chorro y séquelo.

Párese con los pies separados y las rodillas a medio doblar. Coloque sus manos una encima de la otra y hágalas girar durante cinco minutos como si con ellas estuviese haciendo una bolita de energía. Luego coja el cuarzo, la bola de cristal o la esfera facetada previamente energizada, proyéctele esa energía de sus manos y para finalizar colóquela en el área Noreste de su alcoba. Si no hay Noreste en la habitación, haga un pequeño **Tai Chi**, es decir, investigue cuál es el Noreste de su closet, escritorio o mesita de noche y coloque en ese punto el cuarzo, la esfera o la bola. Después de que el objeto ha sido energizado solo lo debe tocar o manipular el dueño, pues está cargado con su energía.

Ritual para despertar la energía del dragón

Los mejores dragones para tener en casa son tallados en madera, cerámica o porcelana. El dragón le debe encantar, que vibre con usted y que no sea muy grande. Asegúrese de que todo guarde un equilibrio, ubique la imagen del dragón en el Este de la casa o en su sala apuntando al Este para proteger su hogar y crear mucha abundancia. También puede colocarlo al lado de una fuente, lago o piscina para traer mucha prosperidad de dinero.

Los dragones nunca se deben ubicar en un baño, una cocina, una chimenea, o dentro de un closet, y nunca deben estar encerrados. Tampoco debe situarlos en el punto cardinal Sur porque su elemento es el fuego y lo quemaría, ni en su habitación porque activan la energía yang y perdería el sueño, sobre todo si tiene un sueño sensible.

Ritual de sal marina para alejar la mala energía

Cuando su casa esté barrida y limpia dele un toque final al trapeado de los pisos con un trapeador bien limpio empapado en una solución de agua mezclada con seis cucharadas de sal marina. Este ritual aleja cualquier energía negativa que esté rondando en su hogar y que impida la entrada de la prosperidad. También puede hace el ritual cuando se presentan muchos disgustos entre todos los ocupantes de la casa, pues atrae las buenas energías. Puede hacer esta limpieza cada dos o tres meses.

Ritual con agua y vinagre

Cada mes es muy importante limpiar la energía negativa que esté pegada a los pisos, tanto en su hogar como en el negocio, trapeando todo el lugar con agua cargada al sol: con anticipación, deje el agua con la que va a limpiar la casa mínimo una hora a la luz del día y agréguele medio pocillo de vinagre blanco.

Ritual de baño amargo para erradicar las malas energías

Este baño sirve para erradicar de su cuerpo las energías negativas. Utilice sábila (aloe vera), planta que además de sus reconocidos usos medicinales, también ayuda a limpiar el cuerpo de todas las influencias nocivas que desapercibidamente recoge de su entorno. Además consiga altamisa, conocida desde la Edad Media como hierba protectora mágica, utilizada para purificarse de todos los males pasados y situaciones negativas que lo estén afectando.

En un recipiente con tapa ponga a hervir un litro de agua. Pele la penca de sábila para obtener los cristales y lave con agua las ramas de altamisa. Cuando el agua esté en ebullición, agréguele una cucharada de cristales de sábila y un manojo de altamisa o de ruda. Apague la estufa y tape el recipiente para obtener una infusión. Cuando el agua se haya entibiado cuele el preparado y después de efectuar su baño corporal normal, frote esta mezcla tibia sobre su cuerpo de arriba hacia abajo visualizando que está erradicando todas las energías nocivas. Deje la mezcla impregnada en su cuerpo durante diez o quince minutos, transcurridos los cuales puede enjuagarse con abundante agua, pero sin utilizar jabón.

RITUAL PARA LIMPIAR EL AURA

Como nuestra aura es como un imán que recoge las energías que flotan a nuestro alrededor por doquiera que vamos, es importante limpiarla para liberarla de vibraciones extrañas y energías negativas. De ahí la importancia de prestar atención a esos periodos en los cuales se empieza a sentir estafado o nota que alguien le está haciendo la vida imposible polemizando en su contra, hablando mal de usted, diciendo mentiras y en general causándole angustia y dolor. Esto sucede porque definitivamente esas malas energías se han incrustado en el aura, y si no hace algo para remediar la situación, empezará a sentir incomodidad, autocompasión, inferioridad y desdicha.

Si se está sintiendo afectado por este tipo de energías, consiga dos limones maduros y jugosos, preferiblemente tomados directamente del árbol, si no búsquelos en el mercado. Tráigalos a casa y no los lave. Tome cada uno en la palma de sus manos y hágalos rodar mientras piensa: "Todas las nocivas vibraciones, los chismes y las malas intenciones de esta persona (si conoce su nombre dígalo en voz baja) se están introduciendo en el limón". Continúe haciendo rodar los limones en las palmas de sus manos durante cinco minutos, vaya luego a un canal o mejor aún a un río y arrójelos por encima de sus hombros, un limón por el hombro derecho y el otro por el hombro izquierdo. Es muy importante que NO voltee a mirar hacia atrás. Sólo piense que ha logrado sacar con éxito toda la mala energía de su cuerpo y de su mente, así como la mala suerte y las malas intenciones.

Se dará cuenta de que la persona que lo ha estado mortificando cesará en sus intentos, pues ya no surtirán efecto en usted. Esta también es una excelente forma de reducir el dolor por la pérdida de un ser querido y de acabar con un mes particularmente difícil.

Se considera que el limón tiene el poder simbólico de expeler de su aura todas las cosas negativas.

RITUAL CON LIMONES PARA ALEJAR LA MALA VIBRA

Si sospecha que alguien le está enviando mala energía y esto lo tiene descompuesto, cansado o desubicado, consiga dos limones y manténgalos uno en cada mano levemente presionados durante cinco minutos pensando que los limones absorben toda esa mala energía que le están enviando. Después póngalos en un recipiente metálico, riegue un poco de alcohol industrial y quémelos para liberar esa mala energía, luego échelos en una bolsa y deposítelos en la basura.

Ritual de baño para suavizar conflictos

Es el interés de todos llevarse bien con quienes normalmente interactúan, atraer relaciones placenteras, armoniosas y productivas y evitar la carga energética de personas que aun sin proponérselo generan conflicto. Por ello, y sobre todo cuando empiece a tener conflictos familiares, personales, sentimentales, laborales o comerciales, debe periódicamente protegerse de ese cúmulo de energía dañina y hacer todo lo posible para irradiar un excelente carisma.

El siguiente ritual es de gran utilidad para el momento en que sienta que sin motivo aparente su relaciones se están deteriorando o le cae mal a todo el mundo.

Consiga:

- 6 clavos de olor.
- 3 astillas de canela.
- 4 centímetros de raíz de jengibre.
- 3 flores de Jamaica secas (las puede conseguir en los supermercados).
- 1 manojo de albahaca.
- 1 manojo de pétalos de rosa sin importar el color.
- ½ taza de agua de rosas (si no la consigue puede utilizar alhucema o agua Florida de Murray).

Ponga dentro de un recipiente los clavos, las canela, el jengibre y las flores de Jamaica y agregue agua suficiente para un baño corporal. Ponga a hervir la mezcla durante cinco minutos. Al completar los cinco minutos de cocción apague el fuego y agregue al agua la albahaca y los pétalos de rosa. Tape el recipiente, deje enfriar y cuele el contenido.

Al momento de hacer el ritual agréguele a la mezcla el agua de rosas. Temprano en las horas de la mañana proceda con su baño normal y luego derrame lentamente sobre su cuerpo el preparado que ya tiene listo, fijando la intención de atraer muy buenas relaciones y ser una persona atractiva y muy agradable a los ojos de cuantos lo rodean. Deje un rato la mezcla en su cuerpo y luego séquese con la toalla normalmente.

RITUAL PARA EL AMOR

Por sus componentes, este baño abre la energía para atraer el amor a su vida. Consiga:

- 8 flores de Jamaica, que sirven para atraer y conservar el amor.
- 2 cucharadas de miel de purga o azúcar morena, la cual es hecha de caña y es utilizada en los baños para atraer todo lo positivo y activar la sexualidad.
- 2 manzanas rojas partidas a la mitad.
- Clavos de olor en número par para alejar las envidias.
- 3 astillas de canela.
- 1 manojo de la flor siempreviva de color morado

o blanco para activar la suerte y la protección en al amor. Puede reemplazar la siempreviva por flores de lavanda.

- 1 cucharada pequeña de esencia de sándalo para eliminar conflictos.

Hierva agua suficiente para hacerse el baño, deposite todos los ingredientes y déjelos en infusión hasta que el agua esté tibia, luego cuele la mezcla. Aplíquese el baño por todo el cuerpo visualizando que está creando y activando el amor en su vida mientras dice: "Yo (su nombre) me abro a recibir mi pareja perfecta". Déjelo unos minutos y luego báñese normalmente.

RITUAL PARA ATRAER LO POSITIVO

Este baño es para atraer todo lo positivo que desea en la vida. Puede efectuarse en las horas de la mañana o de la tarde, procurando escoger un momento en que nadie lo interrumpa, no le suene el teléfono, y no esté preocupado por asuntos pendientes.

Consiga:

- 1 vela de color amarillo: representa la iluminación, el sol, la riqueza y la buena fortuna.
- 1 manojo de hierbabuena: atrae la abundancia.
- 1 manojo de menta: aclara la mente y eleva la energía.
- 1 manojo de perejil: limpia y desbloquea el campo áurico.
- 4 centímetros de jengibre: activa su círculo social.

- 8 clavos de olor: aleja las envidias.
- 1 semilla de nuez moscada: especial para atraer el dinero.
- 3 astillas de canela: traen protección y prosperidad.
- 2 manzanas rojas partidas en cuatro: representan la sensualidad y la atracción.
- 1 cucharadita de aceite de oliva: se dice que conecta con la divinidad por venir de un árbol sagrado.
- 1 cucharada de miel de abejas o de miel de purga: para atraer el amor de todas las personas que nos rodean; consagra dulzura y armonía.

Caliente en la estufa un recipiente con agua suficiente para su baño. Cuando el agua esté en ebullición, agregue todos los ingredientes a excepción de la vela y déjelos hervir durante cinco minutos. Apague el fuego, deje reposar y cuele el preparado. Luego de bañarse en la forma acostumbrada, aplique sobre su cuerpo este baño de la nuca hacia abajo y luego con sus manos frótelo de abajo hacia arriba. Déjelo un buen momento en su cuerpo y seque después el exceso sin enjuagar.

Cuando salga del baño, encienda la vela amarilla pidiendo a Dios, al Universo y a sus ancestros que le otorguen prosperidad y abundancia o visualice todo lo que usted desea. Permita que la vela se consuma en su totalidad.

Baño para resplandecer

Cuando vaya a una entrevista de trabajo, a un evento en el que no quiera pasar desapercibido, a una negociación o reunión en que participa mucha gente, y en general para tener una luminosidad extraordinaria, hágase este baño un día antes del evento.

Consiga:

- 1 botella de champaña.
- 1 cucharadita pequeña de canela en polvo.
- 3 girasoles.
- 1 manojo fresco de menta.

En un recipiente hondo eche la champaña, agregue los pétalos del girasol y el manojo de la menta y masajee un poco como si los quisiera macerar. Luego agregue la cucharadita pequeña de canela y deje la mezcla en reposo veinticuatro horas para que todo suelte. Al día siguiente báñese normalmente y luego aplíquese la mezcla del cuello hacia abajo visualizando todo lo que usted quiera lograr en la reunión, luego enjuáguese con abundante agua.

Ritual para conseguir un buen empleo

A pesar de bañarnos normalmente, día a día recibimos vibraciones nocivas. Esas inadvertidas y persistentes energías negativas del entorno tienden a adherirse y acumularse, ocasionando estancamiento profesional, emocional, financiero, laboral, etcétera. De ahí la importancia de los baños efectuados como ritual pues, con cada determinado baño limpia, protege y purifica el cuerpo y el aura y también le dice al Universo que usted está listo para recibir los cambios que anhela.

Para salir del estancamiento energético, lograr un empleo acorde a su formación profesional y aspiraciones económicas, cambiar el trabajo que tiene por uno que esté en línea con sus deseos de superación, o bien para proteger y purificar el entorno de su empresa en casos determinados, le recomiendo el siguiente ritual:

Coloque al fuego un recipiente con un litro de agua y cuando hierva, agregue un manojo de perejil liso (no crespo). Tape la olla, déjela enfriar a temperatura ambiente, cuele el contenido y reserve la infusión.

El perejil es una planta que además de gozar de inmensa acogida en el campo gastronómico y medicinal, también es considerado un potente propulsor de buena suerte y protección, así como impulsor de comunicaciones productivas, purificación, vitalidad, fertilidad económica y por ende felicidad.

Báñese normalmente, tome entre sus manos un pequeño manojo de hojas frescas de perejil liso y masajee su cuerpo suavemente con ellas de arriba hacia abajo hasta la planta de los pies.

Enseguida, impregne su cuerpo de arriba hacia abajo con la infusión preparada en el primer paso terminando en el plexo solar podal (queda en las plantas de los pies al lado del dedo gordo) como si estuviera botando las energías nocivas. Mientras frota la infusión sobre su cuerpo visualice y diga que está expulsando todas las energías negativas que le estén bloqueando la consecución de un buen empleo, que estén estancando su progreso profesional, y que estén impidiendo su avance y buen desarrollo laboral. Deje secar la infusión sobre su cuerpo y vístase normalmente.

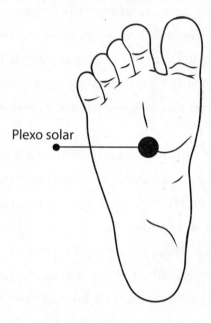

Plexo solar

Terminado el ritual ubique bien sea en el área Norte o en el área Este de la casa un pequeño florero solitario con unas frondosas ramitas de perejil liso fresco teniendo el cuidado de cambiar el agua diariamente o antes si se pone de color amarillo. Evite a toda costa que el agua se vicie y cambie también las ramitas de perejil tan pronto se marchiten. Este solitario debe permanecer en su sitio hasta que usted logre su objetivo. Si en el Norte o en el Este de su casa queda un baño, ubique el solitario en su sala o en el estudio.

Puede hacer este ritual cuantas veces sea necesario.

RITUAL CON CANELA PARA LAS DIFICULTADES

Cuando en los espacios en que vive comience a tener dificultades, como que las cosas no salen como quiere y hay tensión, este ritual ayuda para que la energía de la casa se descargue.

Consiga ocho astillas de canela u ocho cucharadas de canela en polvo, y póngalas a hervir en medio litro de agua durante 5 minutos. Luego apague el fuego y cuele el agua cuando esté tibia. Barra y trapee la casa y en la última pasada impregne el trapeador con esta agua de canela y páselo por todos los espacios para liberarlos de toda tensión que se haya vivido en el momento.

CARTA PARA LA NAVIDAD

Tome una hoja de papel natural y con una varita de incienso hágale un sahumerio por lado y lado. Perfúmese bien las manos y frote la hoja con ellas para que quede impregnada con el olor. Siéntese en un sitio tranquilo y empiece a escribir la carta, primero agradeciendo por todo lo que ha recibido en el año, y bendiciendo también los problemas como crisis financieras, rupturas amorosas o pérdida de empleo. Luego pida lo que quiere recibir en el año. Es importante pedir primero para usted y luego para los demás. Pida por los hijos, por la familia, por lo que desee, siempre muy en concreto.

A las doce de la noche, al lado de la ventana de su habitación, prenda una vela blanca pequeña nueva, queme la carta y tenga cerca un recipiente para recibir las cenizas. Acerque la quema a la ventana para que el humo salga al cielo mientras dice: "El Universo ya recibió mis peticiones, gracias por las bendiciones recibidas y por las que estoy por recibir".

Si no está en nuestra casa en Navidad lo puede hacer en el patio o en la cocina de la casa donde se encuentre.

RITUAL PARA REFORZAR AL PATRIARCA

Es importante proteger al jefe del hogar cuando ha experimentado sin razón o motivo válido problemas legales, malos entendidos, falta de armonía, atribulaciones, impaciencia y alteración de los estados de ánimo, tanto en la casa como en la oficina.

Para reforzar al patriarca que ocupa una posición de mando empresarial y enfrentar el oculto peligro de menoscabo de su autoridad, mantenga en su oficina el cetro chino (preferiblemente metálico) conocido como **ruyi**, que representa control, liderazgo y autoridad.

Para prevenir ataques de quienes pretenden dañar su imagen por medio de la difamación y la chismografía es aconsejable que los patriarcas lleven consigo una estrella de seis puntas, comúnmente conocida como la estrella de David, que también sirve para protegerlos de deshonestos socios comerciales.

RITUAL PARA ACTIVAR LA SEGURIDAD EN LOS VIAJES

Si va a emprender un viaje de negocios, lleve en su maleta una concha ciprea de caracol marino; es la que comúnmente nos acercamos al oído para oír el mar. Esta concha le proporciona un excelente viaje y le ayuda a tener buenos resultados en sus negocios, incluso le abre puertas en el exterior si este es el objetivo de su viaje. Consiga un símbolo de la longevidad para su seguridad personal y como protección contra energías nocivas que puedan crear contratiempos. Exhiba en su carro un rinoceronte para protegerse de accidentes y para alejar a las personas malpensadas y malintencionadas. En la guantera de su carro guarde seis plumas de gallo para evitar choques.

Símbolo de la longevidad

RITUAL DEL ÁRBOL DE LOS DESEOS

Para este ritual necesita un pino no muy grande, que puede estar sembrado en el jardín o dentro de su casa en una matera. Consiga papel pequeño de color amarillo para las peticiones de las metas en general, de color rojo para las peticiones de amor y de color blanco para la salud o los ascensos en el trabajo, así como hilo de color rojo.

En luna nueva escriba con tinta negra en los papeles los deseos muy concretos. Amárrelos con el hilo rojo en las ramas del pino y déjelos colgados durante quince días, luego bájelos y quémelos enviando el humo hacia el cielo mientras dice que ya sus deseos han sido escuchados para que se cumplan.

Puede hacer este ritual cuantas veces lo necesite; entre más utilice el pino para los deseos, más fuerza tendrá.

La simbología del feng shui

El simbolismo es integral en la práctica del Feng Shui. Los símbolos se pueden utilizar como correctivos o activadores; hay símbolos de prosperidad, riqueza, protección, amor, salud, educación y para la profesión. Hay unos símbolos más conocidos que otros, aquí en Occidente lo más importante es que le gusten y vibren en sintonía al momento de ubicarlos.

Todas las simbologías de rostros orientales son de cara fuerte, seria o brava, con ojos que destellan rojo, por eso no a todo el mundo le gustan. Admiro toda esta simbología y la trabajo con respeto, por eso solo la recomiendo si la persona está de acuerdo en utilizarla.

Cuando ponemos estos símbolos en los sitios de activación para el amor o la prosperidad o como cura de protección, su presencia hace que la energía se transforme en cualquier espacio. Los símbolos ejercen su influencia de acuerdo al objetivo por el cual se utilicen. Siempre deben estar en muy buen estado, no deben estar quebrados ni descoloridos y mucho menos sucios. Se deben lavar con agua y jabón antes de ubicarlos y mientras se hace mantener siempre buenos pensamientos.

COLECCIONAR SÍMBOLOS

Es bueno coleccionar objetos de simbología de buena fortuna, como Budas, caballos, elefantes, aves, búhos, sapos de tres patas y flores de loto en cristal, pues toda esta simbología atrae buena suerte a sus ocupantes, y lo ayuda a vivir en abundancia y prosperidad. Se pueden ubicar en el sector Noroeste de la sala, de la sala de estar o del estudio, o también se pueden repartir por los rincones desocupados de la casa.

CINTAS DE COLOR ROJO PARA MAYOR EFECTIVIDAD

Cuando utilice símbolos auspiciosos con parámetros Feng Shui para atraer buena energía en los lugares que trabaja, para activar la prosperidad, el romance y la protección o para alejar envidias, puede volverlos más efectivos si les añade a las figuras cintas de color rojo, que simbolizan el elemento fuego.

CUARZO CITRINO Y AMATISTA

Los cristales de cuarzo son muy buenos conductores de energía, por eso los relojes de cuarzo tienen una alta precisión para medir el tiempo. Son cristales extraídos de la tierra, donde se crea un gran equilibrio. El cuarzo citrino tiene un color café, con tonos claros y oscuros, y se considera un activador de la riqueza para tener un buen flujo de caja. Los cuarzos de amatista, que son de color morado, son buenos para activar las relaciones personales, comerciales y laborales y para estabilizar la entrada del dinero.

El número 8

El número 8 es uno de los tres **números blancos** que en el **Feng Shui de Estrella Volante** aportan prosperidad, bendiciones, flujo sin fin e increíble abundancia de energía. Tiene tanto reconocimiento y popularidad en China que los Juegos Olímpicos de Beijing empezaron exactamente a las ocho horas, ocho minutos, del día ocho, del mes ocho del año 2008. Y como estamos atravesando el periodo de la Estrella Volante 8, que inició en 2004 y termina en 2024, con mayor razón hay que aprovechar las buenas influencias que brinda este auspicioso número.

El 8 puede traerle inmensa buena suerte, al igual que contrarrestar los obstáculos que puedan estar bloqueando su éxito y progreso. Para activar su presencia y energía en el hogar o en la oficina utilícelo como un símbolo, emblema u objeto decorativo que sea de su total agrado, y ubíquelo en el Noreste de su casa o escritorio, o en el Noreste de su habitación.

Símbolo del infinito

Otra buena forma de activar el número 8 es colocar el símbolo del infinito hacia arriba para que la energía se mueva en forma ascendente; nunca lo ponga acostado. También trate de que esté presente en sus números de cuentas bancarias, números de teléfono, que esté en la placa de los carros o en los precios de los artículos para la venta. Si personalmente quiere atraer buenas energías, lleve consigo el número 8 en forma de accesorio cómo un prendedor, un pendiente, una pulsera o aretes, y si es hecho en oro mucho mejor. En el caso de los hombres, pueden usar mancornas y llaveros.

LINGOTE DE ORO

Los lingotes de oro siempre representan riqueza, buen flujo de caja, abundancia y prosperidad. Se pueden ubicar en cualquier espacio de la casa u oficina. Se consiguen con facilidad en los almacenes chinos, pero si no tiene acceso a uno los puede hacer: consiga ladrillos pequeños, aquellos que utilizan los arquitectos para hacer maquetas, y píntelos de color dorado para que simulen los lingotes; también puede tomar pequeñas cajas y forrarlas con papel dorado.

CÓMO ELEGIR LOS CABALLOS

Al elegir piezas de arte, cuadros o esculturas, tenga en cuenta que ciertos animales en el Feng Shui son muy auspiciosos. Los caballos son excelentes para activar la victoria, el reconocimiento, la valentía y la perseverancia, y ayudan a escalar en posición social y a tener éxito laboral. Tenga mucho cuidado de que el caballo no esté relinchando como si estuviera asustado ni galopando aterrorizado, porque atrae accidentes y dolores en las extremidades. Tampoco se deben utilizar imágenes de caballos heridos ni de caballos de trabajo, pues no son auspiciosos. Si ya tiene objetos así procure que nunca estén delante o detrás de usted.

Las imágenes más beneficiosas son las de caballos con aperos lujosos, erguidos y que se vean con fuerza, ya sea al trote o con las cuatro patas en el piso. Los puntos cardinales favorables para ubicar los caballos son el Sur y Noroeste del lugar, o puede hacer un pequeño tai chí, que es ubicar un Sur, un Noroeste, un Suroeste y un Noreste en la sala de estar o sala principal y ponerlos ahí. Al ubicarlos al Sur se activa la fama y el reconocimiento. Y en el Noroeste, el emprendimiento. En el Suroeste activan una buena posición social, mientras que en el Noreste activan el éxito en los estudios. No cuelgue cuadros de caballos en la habitación principal.

Caballo del triunfo

El caballo del triunfo es un caballo que está parado encima de lingotes de oro, monedas y joyas, tiene la cabeza erguida y las patas en trote o en el piso. Lo debe ubicar en la sala o en el corredor de entrada, siempre mirando hacia adentro de la casa, nunca hacia fuera. Atrae riqueza en las ocho direcciones de los puntos cardinales de su casa.

Los elefantes

Este animal simboliza fuerza, sagacidad, abundancia, buen juicio y prudencia. Activa la entrada de dinero, la profesión y la fertilidad en todo lo que emprenda. Si ubica un par de elefantes con la trompa hacia abajo dentro de la habitación del matrimonio activará la fertilidad en la pareja y atraerá reconocimiento para los hijos. Con frecuencia preguntan cómo ubicar el elefante, si con la cola en dirección a la puerta o no. Si el elefante tiene la trompa hacia arriba no importa para dónde mire, pero si tiene la trompa hacia abajo obligatoriamente debe ponerlo entrando a la casa. Es de muy buena energía ubicar un elefante a cada lado de la puerta principal, pues atrae suerte al hombre de la casa; cuando el elefante porta una joya o piedra semipreciosa se dice que cumple los deseos.

SAPO DE TRES PATAS

El sapo de tres patas en realidad tiene cuatro patas pero la cuarta está guardada para poderse impulsar al brincar. En la época de la guerra los chinos adinerados guardaban sus tesoros en los pantanos para protegerlos. Como los sapos vivían en los pantanos, cuando brincaban hacia afuera salían enredados en las monedas y collares de piedras semipreciosas, por eso se creó el relato de que traen dinero a la casa.

Las imágenes del sapo de tres patas siempre lo muestran montado sobre monedas y lingotes de oro con un collar en su cuello y una moneda en su boca. Se deben ubicar en el piso, debajo de las mesas o encima de una mesa pequeña, en jardines, fuentes, estanques o en los rincones de la casa u oficina, siempre con su cara direccionada como si estuviera entrando al lugar para activar la entrada del dinero diario y la oportunidad de ganar más dinero. Puede tener los que quiera mientras que no pasen de nueve sapos, y nunca los debe ubicar en las habitaciones de dormir, en los baños ni en las cocinas, puesto que su energía se volvería adversa y traería pérdidas de dinero.

La guerrera Hua Mu Lan

Hua Mu Lan es la más famosa heroína china que vivió en la época de la dinastía Ming. La historia narra que el padre de Hua Mu Lan estaba muy enfermo y viejo para ser parte de la armada imperial. Cuando los hunos invadieron China, el emperador dio la orden de que un hombre de la familia debía enrolarse en las filas del ejército. Como el hermano de Mu Lan estaba muy pequeño para estar en el servicio activo y a ella no le era permitido pertenecer al ejército por ser mujer, era su padre enfermo el que debía atender el llamado del emperador. Esta joven mujer, buscando salvar a su padre de una muerte segura, defender a su familia y colaborar con el engrandecimiento de su patria, se disfrazó de su padre y tomó su lugar para ir a la guerra.

En el ejército imperial comandó las tropas durante doce años sin aceptar remuneración alguna. A pesar de que el emperador le ofreció honores y un alto cargo en la corte, por obvias razones no los aceptó y regresó feliz a su hogar. Pasó mucho tiempo antes de que la verdad sobre su verdadera identidad fuera revelada. Este personaje se volvió muy famoso cuando Disney hizo una película de dibujos animados contando su historia en 1998.

Como símbolo de éxito de la mujer ante las grandes des-igualdades, desde la época de la dinastía Ming la imagen de la heroína Hua Mu Lan se utiliza en el Feng Shui tanto para proteger como para activar el triunfo y empoderamiento del sexo femenino, el amor filial, el coraje, la victoria y la cons-tancia en todo lo que se proponga. Puede imprimirla y situarla en el Suroeste, que es el área que representa a las mujeres de la casa, o pegarla o tenerla en un portarretrato en el escritorio de la oficina para que la tengan en cuenta en los ascensos y le reconozcan su trabajo. También puede mantenerla dentro de la billetera y hasta tenerla como foto de perfil en su celular, fijándole la intención de adquirir reconocimiento, solidez, respeto, autoridad, respaldo, fortaleza y valor.

La guerrera Hua Mu Lan

El nudo místico

El nudo místico es uno de los símbolos más comúnmente utilizados en Feng Shui porque significa sin principio ni final. Expresa la idea budista de la interminable rotación de nacer y renacer y se conoce como el nudo sin fin pues parece que se tragara su propia cola; también se dice que es el corazón de Buda. Como cura del Feng Shui simboliza continuidad en las cosas buenas que llegan a la vida y protección. Activa la fuerza y la longevidad sin enfermedades ni contratiempos. También se dice que atrae felicidad, amor, una vida plena con buena suerte y fortuna, y evita tener contrariedades, accidentes, enfermedades o reveses en la vida.

Nudo místico

Como también se le considera un potente símbolo de protección, se recomienda llevarlo consigo al efectuar largos viajes al exterior, puesto que previene de adversidades, accidentes o enfermedades durante el viaje.

El nudo místico guardado en la billetera asegura que siempre se tenga dinero. También se utiliza para activar la comunicación, el poder persuasivo y la locuacidad en los discursos, por lo que es excelente para personas de ventas que quieran abrir nuevas oportunidades.

Si coloca el nudo místico en las fotos de la pareja se crea un laso fuerte de amor y unión entre los dos.

LOS NUEVE DRAGONES

En un gran mural en la ciudad de Pekín están representados nueve dragones que representan el futuro y la plenitud celestial y magnifican toda la buena suerte. Se pueden ubicar en el Este o Sureste de la casa o la oficina para activar la prosperidad en el dinero y eliminar obstáculos en el camino, o también se pueden situar en la estrella volante número 9 anualmente. Atraerán una grandiosa buena fortuna.

Cada dragón tiene sus propios atributos:

- Pu-lao: siempre es grabado en los gongs. Protege del peligro, y da una alerta y aleja a la gente que está al acecho.
- Pi-kau: protege contra los pleitos legales.
- Suan-ni: protege contra las traiciones, la infidelidad y las pérdidas económicas.
- Chiu-niu: crea armonía en la música yang.

- Pa-hsia: activa el apoyo de todas las personas alrededor y trae fuerza.
- Pi-his: trae suerte en el conocimiento, la creatividad y la educación.
- Chao-feng: protege toda la corte celestial, los lugares sagrados.
- Chihwen: es el poder del agua sobre el fuego.
- Yai-tzu: protege contra las agresiones físicas.

Nunca encierre los dragones en armarios o vitrinas, siempre deben estar sobre las mesas. Los puede ubicar en las habitaciones siempre y cuando usted duerma bien, porque se considera que estos animales tienen una energía demasiado yang y pueden disminuir el sueño. No se pueden ubicar en cocinas, ni encima de las chimeneas, ni en los baños.

DRAGONES

El dragón en la China es un símbolo de prosperidad. Cuando celebran su fin de año el dragón sale danzante por las calles para desbloquear cualquier mala energía y para atraer energía positiva y augurar que el año venidero sea próspero. El dragón favorece el inicio de todas las cosas, es el animal custodio del Este, por donde sale el sol. También es una expresión del éxito, la prosperidad y los logros y activa la suerte del hombre.

No es necesario que la imagen o figura que va a utilizar sea grande. El dragón cogiendo la perla con su pata es muy auspicioso, sirve para tener el control de las situaciones, mientras que el dragón imperial que tiene cinco garras es el símbolo más potente para atraer el éxito en todo lo que se emprenda, así como riqueza y prosperidad. Los mejores sitios para ubicarlos son el Este, Sureste, Sur, Suroeste y Noreste, siempre y cuando no queden en baños ni cocinas porque trae un mal Feng Shui. Póngalos en la sala, la sala de estar, el estudio o el comedor y siempre trátelos con mucho respeto, pues su energía es muy yang.

AVE FÉNIX

El ave fénix es considerada como el rey de todas las aves, es la esencia del fuego. El fénix se usaba para representar el Sur en China, es uno de los cuatro animales celestiales y augura triunfo en lo que se proponga, suerte en la profesión, y liderazgo. Activa el reconocimiento y la popularidad para toda la familia, atrae buenas noticias y oportunidades de ganar dinero. Cuando se piensa que todo está pedido resurge de las cenizas para abrir puertas y alcanzar la cima del éxito. Ubíquela en el punto cardinal Sur de su casa o en el Sur de la sala o estudio, así como en el Sur de su oficina para atraer el éxito comercial. Un cuadro de un par de aves fénix ubicado en el Suroeste genera larga vida en las relaciones en general.

EL AVE FÉNIX Y EL DRAGÓN

En la cosmología y mitología china el ave Fénix y el dragón son los animales celestiales que representan el yin y el yang.

El dragón representa la fuerza masculina y el fénix la belleza femenina, así como lealtad, honestidad, virtud y gracia. Juntos simbolizan el emperador y la emperatriz. En la antigua China se solían utilizar en la decoración de las bodas para simbolizar la unión en el matrimonio y atraer prosperidad, abundancia, fertilidad y suerte a los descendientes.

Cuadro de un par de águilas

Las águilas representan el poder, la capacidad de ver todo a su alrededor y un gran éxito en lo personal y empresarial. Como se dice que todas las cosas buenas vienen en número par, ubique en el Sur de su casa u oficina un cuadro de montañas con un par de águilas volando encima de ellas para atraer toda su energía.

Camellos

Los camellos significan paciencia y perseverancia. Ellos pueden sobrevivir a malas condiciones climáticas y muchas semanas sin alimento y agua, por eso en el Feng Shui se consideran un activador muy efectivo para salir de situaciones económicas difíciles. Se pueden ubicar en el Noroeste o en el Norte de la casa u oficina o al lado de la caja registradora. Si tienen dos jorobas, activan el triunfo sobre las dificultades económicas, si tienen una sola joroba, estabilizan la entrada del dinero.

IMÁGENES DE TORTUGAS

Las imágenes de las tortugas traen buena energía hacia la casa, larga vida laboral, y muy buena suerte para los hijos. Se pueden tener cuantas tortugas quiera en la casa sin importar el material; pueden ser metálicas, talladas en madera, de piedra o tortugas de color dorado con cabeza de dragón. Para la protección de todos los habitantes es muy bueno ubicar una o tres tortugas en la parte trasera o en el sector Norte del jardín o de la oficina.

ACTIVADORES PARA EL BOLSO

Desde la antigüedad los chinos acostumbran llevar en sus bolsos protectores o adornos que acrecientan y dan solidez al Feng Shui de la cartera. En cuanto a la riqueza y prosperidad, mantener siempre en la billetera tres monedas chinas atadas con una cinta roja es un auspicioso hábito que debe cultivar si desea atraer una buena fuente de ingresos a su vida. El tres es un número que representa la unión del Cielo, la Tierra y el hombre, también representa las tres suertes –material, celestial y humana– y la cinta roja activa la energía yang de las monedas. Las monedas deben siempre estar atadas con la cinta roja, no sueltas, por lo tanto cambie la cinta cuando se deteriore.

LA CONCHA CIPREA DE CARACOL

La concha ciprea es la concha que nos colocamos en el oído para oír el mar. Los hindúes, budistas y mayas la utilizan como un instrumento musical, y en el Feng Shui es un símbolo que activa la comunicación y la protección en los viajes. Para quienes trabajan en ventas llama a clientes de todos los rincones del mundo, y trae suerte en los proyectos empresariales y cuando se quiere exportar y tocar puertas fuera del país. Encima del escritorio activa el respeto en el trabajo. También sirve para llevarse bien con la gente y activa el reconocimiento a todo lo que se haga. Los puntos cardinales favorables para ubicarla son el Suroeste, el Noreste y el Norte.

Concha de caracol ciprea

PIYAO

El **piyao** fue el último de los dragones. Se dice que se alimentaba de oro y diamantes, por eso las deidades resolvieron taparle el ano para que no botara lo que se comía. Desde eso los chinos lo utilizan para evitar las malas rachas y las malas situaciones, así como para protegerse de la presencia energética del Gran Duque Júpiter, que es una de las tres aflicciones anuales.

CHILINES

El chilin es conocido como el caballo dragón o caballo unicornio chino. Trae victoria y éxito en la carrera profesional, activa la prosperidad a los descendientes y la buena fortuna para los residentes de la casa, y eleva el estatus en los negocios. Ubicado en el Sur ayuda a quienes quieran hacer una carrera militar y ascender en ella. Un chilin en el trabajo ubicado encima del escritorio ayuda a obtener ascensos, y dos chilines sirven para alejar las envidias y ataques verbales. Los chinos dicen que aleja los demonios, y que tres chilines aplacan las tres muertes anuales, que es una de las aflicciones que se presentan cada año.

Este caballo dragón también se utiliza para contrarrestar una estrella anual negativa. Cuando por punto cardinal las estrellas 2, 5 o 7 quedan ubicadas en la puerta, ponga el chilin diagonal opuesto a la puerta principal mirando hacia ella, parado encima de la cuadrícula Ho Tu o al lado de la puerta para neutralizar el *chi* negativo.

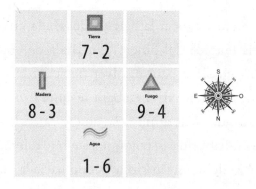

Cuadro de Lo Shu

Imágenes debajo de la escalera

Las imágenes de los tres sabios Fuk, Luk y Sau, el guerrero Kuan Kung, la guerrera Hua Mu Lan, la diosa de la misericordia Kuan Yin, el sapo de tres patas, el sabio de la riqueza, o de dragones representan prosperidad. Sin embargo, si se sitúan debajo de una escalera, en lugar de obtener buena suerte, la energía puede regresar como un bumerang de mala suerte en su contra porque las escaleras son para subir y bajar, entonces es como si estuviera pisoteando las imágenes todo el día parándose encima de ellas.

Imágenes de Buda

La representación de un Buda con cara sonriente atrae bienestar y felicidad, porque se dice que ayuda a transformar los problemas. El Buda con una gran barriga, con un lingote de oro o una gran bolsa ayuda a guardar los problemas y la tristeza de las personas y transformarlas en felicidad. Hay personas que tienen un agüero de tocar la barriga del Buda una vez al día para activa la entrada del dinero. Un Buda de color dorado con vestido rojo sirve para disolver desacuerdos, y si usted sospecha que alguien en el trabajo le quiere hacer la vida imposible creando mala atmósfera, quiere causarle problemas o enredarlo en habladurías, coloque este buda dorado vestido de rojo encima de su escritorio mirando hacia la persona que le quiere hacer daño. El Buda de color dorado también activa bendiciones; rodeado de muchos niños activa la fertilidad y cumple los deseos; con un RuYi, que es un cetro, en su mano sirve para afirmar la autoridad, y con los brazo extendidos y una perla en una mano activa la abundancia para la familia.

MAPAMUNDI

El mapamundi activa el éxito en los estudios. Activa excelentes resultados en los exámenes, honores escolares, ayuda a obtener becas y mejora la comunicación con todo el mundo. El mejor lugar para ubicarlo es encima del escritorio o en el punto cardinal Noreste de la habitación.

EL GUERRERO KUAN KUNG

El guerrero Kuan Kung, conocido como el Dios de la guerra, siempre tiene la cara pintada de rojo carmesí con gesto de un hombre muy bravo y barba muy larga. Se convirtió en el Dios de la riqueza y protector del dinero, por lo que le cuidó los tesoros a la dinastía Han. Es el guerrero de la protección de los negocios cuando tiene la espada en su mano derecha y de la protección del hogar y la prosperidad para todos cuando tiene la espada en la mano izquierda. Su mejor ubicación es en el punto cardinal Noroeste mirando hacia la puerta principal.

La diosa Kuan Yin

La diosa Kuan Yin, quien se dice que nació de las lágrimas del Buda, es la máxima representación femenina, diosa de la misericordia y la compasión. Limpia el entorno de energías nocivas como las de las enfermedades, suaviza las relaciones en general, activa el amor entre los esposos, crea un ambiente de ternura y generosidad y le trae muy buena suerte a la mujer de la casa. Nunca se debe ubicar en el piso, debe estar en un sitio alto.

Pintura de flores

Las pinturas con una de estas cuatro flores se consideran las más auspiciosas en el Feng Shui: la flor de ciruelo, que atrae larga vida y felicidad a la descendencia; la flor de peonía, que activa el amor y el sexo; la flor de loto, que activa el bienestar y la armonía; y por último la flor de crisantemo, que activa la prosperidad.

Flor de peonía para atraer el matrimonio

En China consideran que la flor de peonía activa el matrimonio para las hijas y hace que se casen bien. Representación del romance, la belleza y el encanto, esta flor puede figurar en una pintura o también puede conseguirla en seda. El mejor sitio para tenerla es la sala de estar o el descanso de las escaleras para activarles el romanticismo a las hijas y atraer un buen hombre y un buen yerno a sus vidas. Puede ubicarlas fuera de la sala de estar, colgarlas por fuera de la puerta de la habitación o dentro de ella. Se recomienda que cuando las hijas se casen se retiren las flores. Cuando una pareja está casada, si el esposo tiene más de cuarenta y cinco años no deben tener la flor de peonía en la habitación porque el esposo podría conseguirse una amante joven.

Flor de peonía

FLOR DE LOTO

Puede conseguir una flor de loto hecha en cristal, vidrio, plástico o cualquiera de las representaciones para activar el amor y la felicidad con la pareja. Esta flor simboliza también la armonía en la familia, la perfección y la pureza. La puede ubicar en el

Suroeste, área de las relaciones, o en el área de las relaciones por número Kua, según como indico en mi libro anterior, *Feng Shui para vivir mejor*.

EL SÍMBOLO DE LA DOBLE FELICIDAD

El símbolo de la doble felicidad ha sido utilizado en China desde la época de la antigua dinastía Tang (618 a 907 a. C.) no solo como infaltable regalo a los novios en el día de su boda para augurarles buena suerte en la vida amorosa y matrimonial, sino también como una cura de amor del Feng Shui. Este símbolo aparece en objetos decorativos tradicionales, bordados, joyas y accesorios en general. En el hogar se ubica en el Suroeste, área del amor y las relaciones, fijándole la intención de atraer el amor, el éxito y las buenas relaciones para lograr que se cumplan nuestros sueños.

LAS MARIPOSAS Y LAS LIBÉLULAS

Cuando a algún miembro de la familia le cuesta socializar, es bueno ubicarle mariposas o libélulas en su habitación, sin importar el material de que estén hechos, para que tenga una vida social activa; hacerlo favorece mucho a los hijos jóvenes.

PEZ CARPA DOBLE

Se dice de las carpas doradas, que siempre están representadas cruzando las puertas celestiales, que cuando pasan esas puertas se convierten en dragones. Estos peces atraen la abundancia y el cumplimiento de las metas, sirven como protectores para mantener a salvo los descendientes, alejan la energía hostil y crean armonía y alegría en el matrimonio.

Pez carpa doble

ESFERAS LISAS DE CRISTAL

Las esferas lisas de cristal pueden ser de cuarzo o de vidrio. Ubicadas en la sala de la casa o en la sala de estar traen paz, tranquilidad y felicidad, reducen el estrés y apaciguan a personas nerviosas. Cuando se ubican en el punto cardinal Noreste de la habitación o de un escritorio estas esferas ayudan a mantener máxima concentración para los estudios y a tener un buen conocimiento y discernimiento de las cosas. Cuando ya no las quiera usar debe guardarlas en un paño de color oscuro.

Manzanas de cristal

Ubicar seis manzanas de cristal en cualquier espacio de la casa tiene el mismo efecto que usar seis esferas lisas: proporcionan buenas relaciones con todas las personas que están alrededor, haciendo que sean cordiales y que traigan paz y serenidad.

Las banderas del guerrero victorioso

Las banderas del guerrero victorioso son tres banderas colocadas encima de un puente. Su simbolismo viene de cuando el ejército volvía después de un enfrentamiento e izaba las banderas para decirles a los pueblos que había vencido en la batallas.

Ubicadas en el Sureste las banderas sirven para activar el éxito financiero y la victoria sobre todos los competidores y para salir airoso ante cualquier desafío. Cuando esté buscando empleo úselas en el sector Norte para lograr canalizar las energías positivas frente a los demás postulantes y que todo le salga a su favor. En el Noreste se ubican para culminar con éxito sus estudios, y también anualmente en las estrellas volantes se utilizan donde se encuentra la estrella blanca número 1 para terminar todos los proyectos exitosamente.

Imágenes auspiciosas para activar el agua

Para potencializar el agua con energía yang, es benéfico ubicar un dragón en mármol o madera en las fuentes, las piscinas o los estanques, cerca o dentro del agua. Hacerlo despeja todos los obstáculos que están en el camino. Echarles monedas de todas las denominaciones atrae la suerte en la riqueza, al igual que ponerles imágenes de los sapos de tres patas, que atraen la entrada del dinero, de grullas, que representan longevidad, o de tortugas, que son protectoras.

PROTECTORES CELESTIALES

Las figuras protectoras celestiales de la simbología china son importantes para que la casa disfrute de una buena protección cósmica. Puede escoger entre los perros Fu, que está identificado como el perro macho que tiene siempre una bola en su pata y perra hembra que tiene un cachorro debajo de su pata; los chilines, que son los caballos con cara de dragón; o los piyaos, el último de los dragones, que casi siempre son gordos. Cómprelos con mucho cuidado, que sean bonitos y que usted vibre con su presencia, que no le moleste verlos, pues la cara de los protectores en la simbología China siempre es grotesca o fiera; solo invite a su casa un par con el cual usted sienta afinidad.

TAZÓN DE AGUA YIN (QUIETA)

Cuando tenga vecinos ruidosos, edificaciones desocupadas por mucho tiempo o en ruina al frente o enseguida de su casa, o cuando se presenten muchas discusiones con algún miembro de la familia, consiga un tazón grande de vidrio, cerámica o porcelana y llénelo de agua. Colóquelo en la sala de estar o en el estudio para contrarrestar esta clase de energías nocivas. Cambie el agua cada ocho días y vuelva a ubicar el jarrón en su lugar hasta que sea necesario.

Monedas chinas en las paredes

Si usted está construyendo o remodelando su casa u oficina, pegue muchas monedas chinas a las paredes cuando esté en obra gris antes de los terminados, así no quedan expuestas sino pegadas en el cemento. Los mejores sitios para hacerlo son la sala y el comedor, las habitaciones y la entrada de la casa. Antes de poner el piso haga una flecha de monedas apuntando hacia adentro para activar el crecimiento del dinero para todos los ocupantes.

Rinoceronte de doble cuerno

El rinoceronte es un animal muy tranquilo a no ser que se metan con su manada, ahí sí se vuelve fiero. Por eso es considerado un protector contra las personas mal pensadas y mal intencionadas. Evita los robos y protege de los enemigos comerciales y de la mala competencia laboral.

Los ocho sabios inmortales

En el Feng Shui de su casa es muy bueno ubicar la imagen de los inmortales cruzando las inmensas aguas. Ellos ayudan a los residentes a enfrentar las luchas y la mala suerte para disolver obstáculos que estén bloqueando el camino y salir victoriosos. También representan la longevidad y la abundancia.

Los Ocho Inmortales cruzando el mar.[2]
Werner, E. T. C. (1922)

Sau, Fuk y Luk

Los tres sabios son llamados los dioses de las estrellas. Son Fuk, sabio de la riqueza; Luk, sabio de la abundancia para la familia y posición social; y Sau, sabio de la longevidad en

---

2   The Eight Immortals Crossing the Sea. Werner, E. T. C. (1922) Myths & Legends of China, New York: George G. Harrap & Co. Ltd. (Project Gutenberg eText 15250).

la salud. La presencia de las figuras de estas deidades genera protección para la descendencia y evita la muerte prematura de los hijos, protege de enfermedades graves en la familia y activa las relaciones de toda índole, así como continuidad en la prosperidad. El mejor sitio de la casa para colocarlos es cerca al comedor en el siguiente orden: a la izquierda Luk, que lleva un cetro en la mano y algunas veces carga un niño; Fuk, el más alto con el sombrero más grande, en el centro; y Sau, el de la cabeza grande y redonda que lleva un melocotón en la mano y un bastón, a la derecha.

EL CIERVO

La figura de un ciervo representa larga vida, buena salud y prosperidad, así como tener una buena vejez saludable. Se puede ubicar en el centro de la casa o en su área de la salud por número Kua, tema tratado en mi libro *Feng Shui para vivir mejor*. Ubicar la figura de un ciervo en la oficina activa el crecimiento para la empresa y una larga carrera profesional, y trae progreso y buenos ingresos.

LAS GRULLAS

Las grullas se consideran el equivalente del ave fénix aquí en la tierra. Se utilizan en el Feng Shui para equilibrar la salud y activar una larga vida con una salud plena y una vida relajada. También son portadoras de felicidad y armonía para los moradores de la casa, y traen facilidad para culminar todas las metas propuestas. Se pueden ubicar en el punto cardinal Sur o en el centro del lugar.

CALABAZOS DOBLE BARRIGA

Se dice que los sabios antiguos guardaban el néctar de la eterna juventud en el **Wu Lou** o calabazo doble, por eso es utilizado para proteger la salud. Hay muchas deidades que lo portan, como el sabio Sau, el piyao, que lo tiene en su pecho, y muchos budas, que lo sostienen en su mano. Coloque tres Wu Lou en su mesa de noche para protegerse de las enfermedades o utilícelo como cura para las estrellas anuales que traen enfermedades.

LA CIGARRA DORADA

La cigarra puede ser dorada o hecha en jade, y se utiliza como una protección para evitar chismes, calumnias y mala reputación. La puede ubicar encima del escritorio cuando tenga problemas de estos en su oficina o encima de la mesa de noche. La cigarra tiene también otra connotación como símbolo de larga vida y si se carga en la cartera evita accidentes.

GALLO

En ocasiones las relaciones se vuelven hostiles en la oficina con una persona en específico, sufre por humillaciones, ofensas, chismes, traiciones, relaciones tirantes o anulación en su trabajo, o no es visto con buenos ojos siendo su trabajo impecable.

Para alejar esos celos laborales que se tornan dañinos, ubique la imagen de un gallo, preferiblemente con el pico abierto, encima de su escritorio.

PLANTA MADRESELVA

Conocida con el nombre científico de *Locinera Caprifolium*, la madreselva posee un tallo robusto, igual que sus raíces, y es una planta fácil de cultivar. Sus hojas son de color verde claro y sus flores son acampanadas de color amarillo con un rico aroma. Es muy efectiva para perder de peso; ubíquela muy cerca a la cama para que pueda inhalar su olor durante toda la noche y reduzca su apetito.

Espero que el conocimiento que le acabo de compartir con mucho amor en este libro se convierta en una herramienta útil y cotidiana que le permita vibrar con la energía del Universo, sacarle el máximo provecho a la vibración de los números al descubrir lo mágicos que son, y disfrutar de todos los beneficios que puede extraer del Feng Shui. Lo invito a visitar mi página web: www.claudiaroldan.com en la que encontrará, entre otras cosas, un cronograma mensual que le ayudará a planificar la mayoría de actividades que rigen su vida, tales como la apertura de negocios, los compromisos importantes, los viajes, etcétera.

También lo invito a que me siga en mis redes sociales @ClaudiaRoldánFengShui, en las que seguiré compartiéndole ideas y enseñanzas de esta sabiduría milenaria para que pueda aplicarlas en su vida y en su entorno con el fin de crear armonía y fluidez en todos los aspectos.

AGRADECIMIENTOS

Primero, gracias a Dios por ser tan hermoso conmigo. Doy gracias por ser siempre su niña consentida que va cogida de su mano y recibir bendiciones todos los días de mi vida. Muchas veces me quedo corta de palabras para darle las gracias por tanto.

Yo creo que tenemos ángeles en el Cielo y en la Tierra, que no hay casualidades, que los tiempos de Dios son perfectos, que todo sucede el día que es, en el momento que es, y antes no. Por eso le agradezco a mi sobrina Paula Andrea Gutiérrez, que es mi ángel en la Tierra, pues por ella llegué a esta gran casa editorial, Penguin Random House, y por ella fue posible la publicación de mis obras. Gracias por el amor que le pone a todos los diseños de mis libros.

Le agradezco a mi mamá, Cecilia Echeverri, quien durante veintiún años se ha dedicado con esmero y mucho amor a llevar mi agenda y tener el mejor contacto con mis clientes. Todos dicen que tengo la mejor asistente, y creo que la quieren más a ella que a mí.

Gracias a Beatriz Roldán Echeverri por ser mi cómplice, mi mejor amiga, mi compañera de vida y la mejor hermanita del mundo.

Gracias a Fernando Trujillo por ayudarme a iniciar este gran camino del Feng Shui y por hacerme perder el miedo de hablar en público.

Gracias a mi hija Catalina por apoyarme incondicionalmente; un día no muy lejano, si ella lo quiere, será mi sucesora. Te AMO, hija.

Agradezco a mis amigas del alma Fabiola Rodríguez, Luz Marina Joves, Flor Amparo Marín y Carmen E. Álvarez, quienes siempre están ahí cuando las necesito y siempre celebran mis logros con el corazón.

Les agradezco con el alma a todos mis clientes que año tras año han creído en mí y me han abierto las puertas de sus casas para que los guíe, a veces con gran paciencia al tener que esperar largos meses para que los atienda.

Agradezco también a mis seguidores de las redes sociales, que siempre están pendientes de mis comentarios, brindándome muestras de aprecio y respeto a través de sus innumerables "me gusta", lo cual me motiva a permanecer en contacto.

A mis lectores de todo el mundo, que hacen que esta ciencia tan maravillosa se divulgue.

GLOSARIO

BA-GUA O PA-KUA

Ba significa plano, y *gua* significa sitio. Ha sido utilizado desde la antigüedad por los maestros de Feng Shui para analizar la energía de cada una de las áreas más importantes del entorno (negocios, casas, apartamentos, edificios) por punto cardinal y así conocer y activar el tipo de suerte que le corresponde a cada sector. Este es el Ba-gua que ayuda a mejorar el flujo de energía en el hogar u oficina y a hacer cambios positivos en la vida.

CHI

Energía o fuerza vital presente en todo lo que nos rodea: en la atmósfera, alrededor de la tierra, en nuestro cuerpo y alrededor de él. Para los chinos es el "soplo de vida", la energía renovable positiva o negativa que no se debe dejar estancar, desequilibrar o bloquear.

CHILIN, CABALLO DRAGÓN O UNICORNIO

Fabulosa criatura celestial con cabeza de dragón, escamas de carpa y cuerpo de caballo, capaz de caminar tanto sobre la tierra como sobre el agua y poseedor de todas las buenas cualidades que se puedan encontrar en todos los animales. Según los antiguos maestros de Feng Shui, proveniente del río Amarillo, se le apareció al primer legendario emperador Fu Hsi cargando sobre su lomo un místico mapa Ho Tu. Al gozar de la más aristocrática figura de animal, es un emblema de la perfecta esencia encarnada de los cinco elementos. Es un símbolo de grandeza, felicidad, sensata administración, longevidad e ilustre descendencia.

ESTRELLAS VOLANTES

Nombre que en el Feng Shui de Estrellas Volantes se le asigna a cada uno de los nueve números que componen el Cuadrado Lo Shu. El movimiento anual de cada una de esas estrellas permite conocer la ubicación de las energías tanto negativas como positivas que afectan el entorno en un determinado año. El detallado estudio del movimiento y ubicación anual de las estrellas es la base para crear un equilibrado entorno, activando las energías positivas o curando o debilitando las energías negativas de cada uno de los espacios que habitamos.

FENG SHUI DE ESTRELLAS VOLANTES

En la filosofía del Feng Shui, el ancestral Feng Shui de Estrellas Volantes divulgado durante la dinastía Qing pertenece a la más avanzada escuela de brújula que integra los principios del Yin y el Yang, las interacciones entre los cinco elementos, los ocho trigramas, los números del cuadrado Lo Shu y las veinticuatro montañas utilizando el tiempo, el espacio y los objetos para crear una carta anual que cambia cada año. La base de la carta es aquella estrella anual regente que cada año se posiciona en el centro del cuadrado Lo Shu, la cual determina la distribución de las energías positivas y negativas de una edificación durante todo el año.

GRAN DUQUE JÚPITER O TAI SUI

En la mitología china, una de las más reverenciadas y temidas deidades es la estrella imaginaria Tai Sui, que con el paso del tiempo se personificó convirtiéndose en una deidad que rige nuestro comportamiento terrenal. A esta energía se le considera un enviado celestial que protege y vigila la felicidad, la salud y la buena suerte, pero que también juzga nuestras buenas y malas acciones, por lo cual se vuelve negativa cuando se le ofende o confronta; esta es la razón por la cual uno no debe situarse dando la cara a esta deidad. Como anualmente cambia de posición, es aconsejable conocer cada año su ubicación para tomar precauciones y poder prevenir sus efectos destructivos.

HO TU

Es una configuración especial de números a la que también se le asigna el nombre de Mapa del Río y que según la leyenda china venía en el lomo del Chilin, caballo dragón o unicornio que se le apareció a Fu Hsi en el río Amarillo. En la configuración de este diagrama, tanto los números pares como los impares suman 20, pues el número 5 que aparece en el centro no hace parte de las sumas. Las combinaciones de los números que aparecen en el diagrama Ho Tu revelaron posteriormente muchos de los secretos del Feng Shui de Estrella Volante.

LAS TRES MUERTES

Son tres malévolas energías diferentes, a las cuales se les debe prestar atención porque juntas representan una fuerza direccional negativa en el contexto del Feng Shui. Anualmente pueden ocasionar desastres, obstáculos a su éxito, o azarosos sucesos que producen angustia y robos o situaciones que sin motivo alguno pueden llegar a tener pérdidas familiares, pérdidas de amigos, pérdidas de salud o económicas. Como recomendación especial, evite sentarse dando su espalda hacia la dirección que anualmente ocupan estas energías.

LO SHU

Llamado también Cuadrado Mágico, es un cuadro o tablero considerado parte del legado de las más antiguas tradiciones chinas. Cuenta la leyenda que en los años de las grandes inundaciones en China (650 a. C.) mientras el emperador Yu caminaba por la orilla del río Lo, vio emerger del río una gran tortuga en cuyo caparazón pudo observar una platilla dibujada con puntos. Dentro de cada casilla había puntos que representaban los números del 1 al 9 y al sumar cada fila, bien fuese vertical, horizontal o diagonalmente, daba como resultado 15. De acuerdo con las rondas del año solar chino, son 15 los días que transcurren entre el ciclo de luna nueva y luna llena. Al hacer la lectura de esas plantillas vislumbró un patrón más amplio de leyes del Universo, tal como se explica en el Cuadrado Lo Shu. Para los chinos, el cuadrado mágico simboliza la armonía del Universo. El Feng Shui de Estrellas Volantes se basa en el cuadrado Lo Shu para actualizar anualmente la ubicación de cada estrella y poder definir el rumbo de las energías tanto positivas como negativas.

NÚMEROS BLANCOS O ESTRELLAS BLANCAS

Como parte integral tanto del Feng Shui como de la numerología existen tres números: el 1, el 6 y el 8, llamados Estrellas blancas o Números blancos, que revisten especial importancia por ser increíblemente benéficos y aportar muy buena suerte, utilizados bien sea como número entero o como una combinación de números. El número 1 –número de los triunfadores– significa el inicio o llegada de un nuevo proyecto (de vida de negocios, de viaje, etcétera) que culmina bien. El número 6 –celestial– es uno de los de mejor suerte cuando el anhelo es obtener energía patriarcal o suerte potente para atraer a un bienhechor. Y el número 8 atrae prosperidad y abundancia. La combinación 168 significa el inicio de algo bueno y algo grande con un logro sin demasiadas limitaciones.

NÚMERO KUA

Las energías que rigen en el año en que nacemos ejercen un profundo impacto sobre nuestras vidas: nos rigen en las características de personalidad, en nuestro destino, en los aspectos de nuestra vida, en las relaciones personales, familiares y profesionales, en la salud, el dinero, el conocimiento y en el éxito y la fama. A cada número Kua lo preside un trigrama del I Ching, del cual se derivan combinaciones de tres líneas, unas continuas que representan al Yang y otras discontinuas que representan al Yin. Estas líneas brindan información sobre qué punto cardinal corresponde en el Ba-gua y el elemento que le atañe a cada número. Esta vibración energética integra todas las características por año de nacimiento y es imposible de repetir, pues la fecha en que nacemos no cambia en toda nuestra vida. El número Kua también define nuestras cuatro direcciones favorables y no favorables. Es necesario conocer esas áreas para saber cómo activarlas con los elementos de acuerdo al punto cardinal o desbloquear lo que se desee para que todas las cosas fluyan a favor. Estos puntos cardinales siempre se deben "encarar", es decir, que nuestra nariz apunte hacia ellos mientras comemos, trabajamos, estudiamos, hacemos negocios, en una reunión muy importante o al desarrollar cualquier actividad. Cuando se diseña una casa, el número Kua sirve para saber cuál sería la mejor ubicación de la cocina, la puerta principal, hacia dónde se debe ubicar la cama para dormir mejor, etcétera. Evite encarar las cuatro direcciones no favorables y procure no activarlas por espacio (con su presencia).

PERROS FU

Se conocen como los guardianes de la puerta del Cielo, también llamados Vigilantes del templo. De musculoso cuerpo y fiero semblante, son un símbolo de protección esencial en la aplicación del Feng Shui puesto que protegen el hogar o el negocio al alejar a la gente malsana e indeseable y destierran a los espíritus malignos a la vez que atraen una nutriente y benévola energía. Se ubican en pareja bien sea adentro o afuera de la edificación.

Piyao

Es uno de los símbolos de activación y protección más popular en la práctica del Feng Shui dado que se considera una potente cura para contrarrestar la energía negativa del Gran Duque Júpiter. La historia de esta auspiciosa criatura con figura de león alado relata que habiendo violado una ley celestial, se le castigó sometiéndolo a una estricta dieta de solo oro y plata sin la posibilidad de evacuar, puesto que tenía el ano sellado. Simbólicamente esto se interpreta como riqueza que entra sin posibilidad de escaparse. Como activador y protector se puede ubicar en cualquier sitio de la oficina o de la casa –preferiblemente un par colocado en frente de la puerta principal mirando hacia fuera– para espantar a los espíritus malignos y a las personas mal intencionadas, como también para garantizar que la buena suerte que entre al hogar quede atrapada en el estómago del Piyao. Jamás lo ponga en una alcoba, en la cocina o en un baño.

Ruyi

En la antigua China este cetro imperial era utilizado en las cortes como uno de los más influyentes símbolos de autoridad, mando y logro de objetivos; lo portaban las emperatrices y altos oficiales del gobierno. En Feng Shui es utilizado tanto en el hogar como en la oficina por damas y caballeros, directores de compañías y políticos para introducir una excepcional energía de prosperidad que incremente la suerte profesional, para inculcar reconocimiento y respeto, obtener ascensos laborales e iluminar el camino hacia el éxito de las empresas ya establecidas o recién conformadas.

Tai Chi

En Feng Shui es de vital importancia mantener un perfecto equilibrio del yin y el yang tanto en el hogar como en el sitio de trabajo, pero hay edificaciones en las que por su diseño y construcción se presentan áreas faltantes o áreas ocupadas por un baño, lo cual imposibilita activar el Feng Shui de esa área. En estos casos se escoge un área del hogar u oficina que goce de suficiente movimiento (por ejemplo la sala principal). Con la ayuda de la brújula se toman los puntos cardinales de la sala y si el faltante en el hogar corresponde, digamos, al Sur, que es el área del éxito, progreso y fama, en ese punto Sur de la sala se activa el Sur del hogar. Esto es lo que en Feng Shui se llama "un pequeño Tai Chi". Esta misma fórmula se puede aplicar en cualquier alcoba y para cualquier área faltante, siempre y cuando el sitio que escoja sea utilizado con frecuencia.

Trigramas

Descubiertos por Fu Xi, estos antiguos símbolos derivados del símbolo del Tai Chi encierran inmensa sabiduría y conocimientos increíblemente avanzados. Son un emblema universal del equilibrio natural y constituyen la base de la filosofía

China del I Ching (Libro de las mutaciones) y del Feng Shui. Individualmente nos hacen caer en cuenta de los importantes fenómenos que perturban la existencia y, colectivamente, describen la forma como actúa la naturaleza mostrándonos la manera de vivir en equilibrio. Los ocho trigramas utilizados en Feng Shui están claramente asociados con los cuatro puntos cardinales y las cuatro direcciones semicardinales de la brújula; cada trigrama posee esencia, estructura interna y motivación. Existe también un tradicional animal del zodíaco asociado con cada uno de los trigramas

TRONCO DE LA FELICIDAD

Hermosa planta tropical originaria de Brasil, también conocida como Palo de Agua o Tronco del Brasil, que florece dos veces en su vida al llegar a su edad adulta cuando ya ha alcanzado unos dos metros de altura. Además de ser exquisitamente decorativa y de fácil mantenimiento, aporta frescura, tranquilidad y bienestar al entorno. Se utiliza en Feng Shui no solo por su capacidad de purificar el ambiente y eliminar las toxinas del entorno, sino también porque atrae energías positivas, armonía, buena fortuna y dinero, tanto al hogar como a la oficina.

WO LOU

Conocida como "donador de vida", es una de las más potentes curas utilizadas por los monjes taoístas. Es un símbolo de buena salud y longevidad porque aprisiona las energías negativas del entorno y protege de enfermedades, al igual que un activador, para atraer prosperidad y abundantes bendiciones. Se coloca por lo general al lado de la cama para agilizar la recuperación de los enfermos, y en determinados sitios del hogar para promover la buena salud de todos los miembros de la familia. También se carga en el bolso o se cuelga dentro del automóvil para encarcelar las energías negativas y prevenir los inesperados sucesos que se puedan presentar.